Roland Smith • Jaguar

DER AUTOR

Foto: © privat

Roland Smith ist Biologe und erforscht seit über zwanzig Jahren die Tierwelt der verschiedensten Länder. Seine Inspiration zu diesem wie auch seinen anderen Büchern bekommt er auf seinen Reisen. Roland Smith lebt in Stafford, Oregon.

Von Roland Smith ist bei OMNIBUS erschienen:

Die Höhle der Elefanten (20548)

Roland Smith

Jaguar

Aus dem Amerikanischen
von Carsten Mayer

Band 20938

Der Taschenbuchverlag
für Kinder und Jugendliche
von Bertelsmann

Umwelthinweis:
Dieses Buch wurde auf chlorfrei gebleichtem
Papier gedruckt.

Erstmals als OMNIBUS Taschenbuch März 2001
Gesetzt nach den Regeln der Rechtschreibreform

Die Originalausgabe erschien unter dem Titel »Jaguar«
bei Hyperion, New York
Übersetzung: Carsten Mayer
Lektorat: Jutta Nymphius
Umschlagbild: Jon Berkeley/Which Art
Umschlagkonzeption: Klaus Renner
Kn · Herstellung: Stefan Hansen
Satz: Uhl + Massopust, Aalen
Druck: Presse-Druck Augsburg
ISBN 3-570-20938-5
Printed in Germany

www.omnibus-verlag.de

10 9 8 7 6 5 4 3 2 1

Für Marie,
wie immer…

Inhalt

Vorher

Ich ging ins Arbeitszimmer. An der Wand hing eine riesige Karte des Amazonasbeckens in Südamerika. Auf dem Boden lagen Stapel von Büchern, wissenschaftliche Zeitschriften und mein Vater – ein Biologe namens Dr. Robert Lansa, der Feldforschungen betrieb und der für seine Freunde und seinen einzigen Sohn einfach Doc hieß.

Doc saß vor seinem Laptop und starrte wie gebannt auf den Bildschirm. Er bemerkte überhaupt nicht, dass ich da war. Das war ich schon gewohnt.

»Was ist los?«, fragte ich.

Er grummelte etwas, ohne aufzublicken.

»Was soll die Karte und das ganze übrige Zeug?«

»Brasilien, Forschungsauftrag, Reservat, Jaguare«, murmelte er.

Als meine Ma noch lebte, nannte sie diese Art Antwort »Lansa-Latein«. Ich hatte diese Sprache schon eine ganze Weile nicht mehr gehört. Die Art meiner Mutter, damit umzugehen, war, meinen Vater in Ruhe zu lassen und abzuwarten, bis er von allein wieder damit aufhörte. Also verließ ich das Zimmer.

Ich ging in die Küche und machte den Kühlschrank auf. Darin befanden sich eine Tüte saurer Milch, ein Stück Cheddarkäse, auf dem sich Kolonien von flaumigen, grünen Flecken angesiedelt hatten, und ein neues Objekt – ein halb leerer Krug Orangensaft. Mein Vater war offenbar gerade auf einem Gesundheitstrip. Ich schnappte mir den O-Saft und wusch eine Tasse aus der Spüle ab – die benutzten wir nämlich als Schrank.

Das Gebrummel meines Vaters zu übersetzen war nicht schwer. Er war dabei, ein Feldforschungsprojekt zu begutachten, das etwas mit einem Jaguarreservat in Brasilien zu tun hatte. Das Einzige, was mich daran überraschte, war der Zeitpunkt. Wir waren erst seit ein paar Monaten wieder zurück in Amerika und die Sonnenbräune, die ich aus Kenia mitgebracht hatte, war noch nicht ganz verschwunden. Wir hatten ein kleines Haus in Poughkeepsie, New York, gemietet, in der Nähe des Altenwohnheims, in dem mein Großvater lebte. Er heißt Tawupu, aber wir nennen ihn einfach Taw. Er ist Hopi-Indianer und hat den größten Teil seines Lebens damit verbracht, hoch über den Straßen New Yorks Stahlträger zu vernieten.

Wir hatten vor, wenigstens ein Jahr lang in Poughkeepsie zu bleiben, bis mein Vater seine Forschungsberichte über Elefanten geschrieben und veröffentlicht hätte. Es sah ganz nach einer Änderung dieses Vorhabens aus, wogegen ich eigentlich auch gar nichts einzuwenden hatte. Poughkeepsie war als Ort ganz okay und ich mochte die Schule, auf die ich ging, aber nach dem Abstecher nach Kenia war das Leben hier für meinen Geschmack doch etwas zu geruhsam. Eine Reise nach Brasilien wäre phantastisch!

Ich wartete ein paar Stunden, dann ging ich zurück in das Arbeitszimmer. Mein Vater telefonierte gerade mit irgendjemandem. Als er mich sah, legte er eine Hand über die Muschel.

»Hallo, Jake«, sagte er. »Es wird noch eine ganze Weile

dauern, bis ich das hier ausklamüsert habe. Ich erzähle es dir hinterher, wenn alles klar ist.«

Das war höfliches Lansa-Latein für »Raus aus dem Arbeitszimmer und lass mich in Ruhe.« Ich nickte und schloss die Tür hinter mir.

Ich bekam meinen Vater mehrere Tage lang nicht zu Gesicht, aber er hinterließ Zeichen, die darauf schließen ließen, dass er noch am Leben war. Wenn ich von der Schule heimkam, fand ich Spuren menschlichen Lebens, Pizzaschachteln und Kaffeesatz zum Beispiel, und immer wieder hörte ich ihn hinter verschlossener Tür telefonieren. Spät am vierten Abend verließ er schließlich das Arbeitszimmer. Ich hatte gerade meine Hausaufgaben beiseite gelegt und war dabei, schlafen zu gehen.

»Hey, Jake«, sagte er. »Solltest du nicht in der Schule sein?«

»Ich gehe nicht auf die Abendschule, Doc.«

Er ging hinüber zum Fenster und machte die Rollläden auf.

»Wow, ich habe doch tatsächlich total vergessen, wie spät es eigentlich ist.«

Das war nicht das Einzige, was er total vergessen hatte. Sein langes schwarzes Haar hing ihm über die Schultern, ohne wie üblich zu einem Pferdeschwanz gebunden zu sein, und er hatte sich seit einer Woche nicht mehr rasiert. Ob er seine Kleider gewechselt hatte, konnte ich nicht sagen, er trug nämlich immer nur Jeans und Hemden. Er hatte mindestens ein Dutzend solch haargenau gleicher Garnituren.

Er wandte sich wieder vom Fenster ab.

»Erinnerst du dich noch an Bill Brewster?«

»Klar.« Bill war einer der ältesten Freunde meines Vaters. Sie hatten viel Zeit miteinander in der Wildnis verbracht, bei der Erforschung von Tieren. Seit der Beerdigung meiner Ma hatte ich Bill nicht mehr gesehen. »Tja, er ist gerade in Brasilien und sucht jemanden, der ihm hilft, da unten ein Jaguarreservat einzurichten.«

»Und dieser jemand bist du.«

»Richtig.« Er machte eine Pause. »Ich bleibe nicht lange fort.«

Ich starrte ihn an. Er hatte das magische Wort nicht benutzt – *wir.* »Wie lange?«

Er schaute weg – ein schlechtes Zeichen. »Nicht lange. Einen Monat… Ein bisschen länger vielleicht.«

Damit hätte ich rechnen müssen. Doc war in den letzten paar Wochen immer unzugänglicher geworden. Er machte ganz allein ausgedehnte Spaziergänge und sperrte sich stundenlang in sein Arbeitszimmer ein. An manchen Tagen sprachen wir nicht mehr als ein paar Worte miteinander. Ich hatte gedacht, er würde sich nur auf sein Buch über die Elefanten konzentrieren und hätte deswegen keine Zeit für mich. Jetzt wurde mir klar, dass es damit noch etwas anderes auf sich hatte.

»Und was wird aus mir?«, wollte ich wissen.

»Ich bin ja schließlich nicht für immer weg.«

Das Gleiche hatte er gesagt, als er nach Kenia ging. Damals bekam ich ihn über zwei Jahre nicht mehr zu Gesicht.

»Was wird aus meinen Flugstunden?« Ich hatte gerade meinen ersten Alleinflug hinter mich gebracht. Eigentlich sollte ich bis zum Frühjahr meinen Flugschein gemacht haben, damit Doc und ich im nächsten Sommer dann ein paar Überlandflüge machen konnten.

Er ging wieder zurück zum Fenster und schaute nach draußen – nicht, dass es da irgendetwas zu sehen gegeben hätte.

»Ich habe mit Peter gesprochen, drüben im Heim«, fuhr er fort. »Er meint, du kannst gerne dort bleiben, bis ich wieder zurück bin.«

»Du machst Witze.«

»Es ist ja nicht bis in alle Ewigkeit.«

»Ich dachte, wir wären ein Team«, erinnerte ich ihn, so ruhig ich konnte. »Partner.«

Er wandte sich mir wieder zu. »Das sind wir auch! Aber du musst schließlich zur Schule.«

»Ich kann Fernkurse machen.«

»Das ist nicht dasselbe. Außerdem bin ich ja nur kurz weg.«

Doc hatte seine Entscheidung gefällt und mir war klar, dass es sinnlos wäre, mit ihm darüber zu streiten. Er war der dickköpfigste Mensch der Welt, und das war einer der Gründe, warum er und Ma sich getrennt hatten, bevor sie starb. Aus irgendeinem Grund hatte Doc sich plötzlich in einen Erziehungsberechtigten verwandelt. Unsere Partnerschaft war aufgekündigt.

»Ich bleibe hier im Haus«, sagte ich.

»Du bist erst vierzehn, Jake. Du kannst hier nicht ganz allein bleiben.«

»In Kenia war ich auch allein.«

»Das war etwas völlig anderes. In diesem Land gibt es Gesetze – man darf einen Minderjährigen nicht einfach allein lassen.«

»Ich werde es niemandem sagen.«

»Vergiss es, Jake. Du wirst mit Taw im Heim bleiben.«

Ganz eindeutig ein Erziehungsberechtigter.

»Das ist nicht fair.«

»Ich bin ja nur einen Monat lang fort«, erwiderte er. »Ein kleines bisschen länger vielleicht …«

Das Heim

1

Taws Altenwohnheim liegt ungefähr zehn Meilen außerhalb von Poughkeepsie. Vor Jahren war es einmal ein Urlaubshotel gewesen. Von außen sah es immer noch wie ein Hotel aus, aber dieser Eindruck änderte sich, sobald man durch die Eingangstür kam.

Im Erdgeschoss lag ein Aufenthaltsraum mit drei Fernsehern, die an Gestelle geschraubt von der Decke hingen. Die Geräte waren auf drei verschiedene Sender eingestellt und die Lautstärke war so weit aufgedreht, dass man die Serien und Talkshows noch auf der Veranda hören konnte. Außerdem standen im Aufenthaltsraum noch ein paar Tische für Puzzles, Karten- und Brettspiele. An einer Wand befand sich eine kleine Bibliothek mit Büchern in Großdruck. Einmal wöchentlich schickte die örtliche Bücherei einen Lieferwagen vorbei, der die Bücher abholte, die die Leute schon gelesen hatten, und neue brachte, mit denen sie ihre Regale wieder füllen konnten.

Neben dem Aufenthaltsraum war eine Krankenstation. Am Morgen war das die erste Anlaufstelle für die *Insassen,* wie einige der Heimbewohner sich selbst nannten. Vor dem Frühstück stellten sie sich an, um ihre kleinen, weißen Pappbecher mit grellbunten Pillen darin abzuholen. Dieses morgendliche Ritual nannten sie M & M – Morgen-Medizin. Der Ernährungsbeauftragte hat sogar mir die M & M verpasst: einen Becher Vitamine – jedenfalls hoffte ich, dass es

Vitamine waren. Dann hakte die Krankenschwester unsere Namen auf einer Liste ab. Wenn jemand nicht zur M & M erschien, wurde ein Krankenpfleger losgeschickt, um nachzuschauen, was mit demjenigen nicht in Ordnung war.

Neben dem Krankenzimmer war der Speisesaal. Jeder hatte seinen eigenen Platz, damit die Schwestern sichergehen konnten, dass auch jeder sein »besonderes« Essen bekam. Die Insassen nannten den Speisesaal McDonald's.

Weil ich noch jung war, hat der Ernährungsbeauftragte dafür gesorgt, dass mir so gut wie jeder Wunsch erfüllt wurde. Anfangs nutzte ich das auch aus. Aber nach ein paar Mahlzeiten, bei denen meine Tischnachbarn mir neidisch auf den Teller gestarrt hatten, bat ich den Koch, doch dafür zu sorgen, dass mein Essen zumindest so aussah wie das der anderen.

Wenn er sich gerade daran erinnerte, wer ich war, freute sich Taw über meine Anwesenheit, und das war ungefähr die Hälfte der Zeit. Manchmal hielt er mich für ein Mitglied des Personals, ein andermal dachte er, ich sei auch ein Insasse. Einmal hat er mich mit einem Jugendfreund aus dem Hopi-Reservat in Arizona verwechselt – das war vielleicht ein interessantes Gespräch!

Nach mir war Peter Steptoe der Jüngste im Heim. Er war ein zweiunddreißigjähriger Pfleger. Peter und ich verstanden uns ausgesprochen gut. Außerdem mochte er meinen Großvater sehr gern.

Ich schätze, das Heim war an sich ganz in Ordnung, aber es ist schon eine ganz besondere Erfahrung, allein in einem Haus mit fünfzig Ersatzgroßeltern festzusitzen. Sie meinten es ja alle nur gut, aber sie trieben mich zum Wahnsinn!

Mein Tagesablauf war immer der gleiche. Meistens

stand ich um sechs Uhr früh auf. Nach dem Duschen ging ich auf die Krankenstation, um die M&M zu schlucken, dann frühstückte ich gemeinsam mit allen anderen. Nach dem Frühstück fuhr Peter mich zur Schule, denn so weit vor die Stadt fuhr kein Bus. Nach der Schule holte Peter mich wieder ab und brachte mich zurück ins Heim. Dann hielt ich die von allen so genannte *Pressekonferenz* ab, aß mit den Insassen zusammen zu Abend, machte meine Hausaufgaben und ging zu Bett.

Die Pressekonferenz wurde notwendig, weil jeder wissen wollte, was ich den Tag über gemacht hatte. In den ersten Tagen im Heim erzählte ich jedem, der danach fragte, von meinem Tag. Fünfzig Mal! Es dauerte Stunden. Wenn ich jemanden überging, verletzte ich damit dessen Gefühle. Peter meinte, ich könnte eine Menge Zeit sparen und die Gefühle der Insassen schonen, wenn ich allen gleichzeitig von meinem Tag berichtete. Die Pressekonferenz wurde allabendlich vor dem Essen im Aufenthaltsraum abgehalten. Ich hatte gedacht, die meisten Insassen würden sich nach ein paar Tagen langweilen, aber das taten sie nicht. Die Fernseher wurden abgestellt und der Aufenthaltsraum war jedes Mal voll besetzt. Eine typische Pressekonferenz verlief folgendermaßen:

ICH: Also, dann schauen wir mal… Peter hat mich heute Morgen an der Schule abgesetzt. Ich bin zum Unterricht gegangen und es lief eigentlich alles ziemlich gut. Mr. Pengrast hat in Geschichte ein Video über den Vietnamkrieg gezeigt. In Sport haben wir Volleyball gespielt. Meine Mannschaft hat verloren. Nach der Schule war ich noch eine Weile in der Bibliothek, weil ich etwas für eine Arbeit über den Regenwald am Amazonas recherchieren musste. Dann hat Peter mich abgeholt und hierher gebracht. Das wäre dann so ziemlich alles für heute.

[Diverse Handzeichen]

ICH: Mr. Blondell.

MR. BLONDELL: Du hast das Video über den Vietnamkrieg gesehen. Was hältst du davon?

ICH: Ich halte es für eine furchtbare Vergeudung von menschlichem Leben und Geld.

ICH: Mrs. Mapes.

MRS. MAPES: Hast du in der Schule mit irgendjemandem geredet?

ICH: Ja, klar, ich habe mit …

MRS. MAPES: Mit wem?

ICH: Also, ich habe mich mit Patty Teters unterhalten.

MRS. MAPES: Wie sieht sie aus?

ICH: Ich weiß nicht … Sie hat braune Haare, braune Augen, sie ist ungefähr …

MRS. MAPES: Hübsch?

ICH: Na ja. Also, ich schätze schon …

MRS. MAPES: Du bist noch viel zu jung, um dich mit jemandem einzulassen. Du hast noch dein ganzes Leben …

So in etwa.

Während der ersten Zeit im Heim beging ich ein paar Fehler. Der erste war, meine Hausaufgaben im Aufenthaltsraum zu erledigen. Ich setzte mich an einen der Tische und machte mich an eine Geometrieaufgabe und plötzlich standen sieben Insassen um mich herum, die mich fragten, ob ich Hilfe brauchen könnte. Der zweite Fehler war, »klar« zu sagen. Sie fingen alle auf der Stelle an, mir zu helfen. Es kam zu einer Meinungsverschiedenheit, die sich schnell zu einer Schreierei ausweitete, und bevor ich wusste, wie mir geschah, fingen zwei der alten Knaben an, handgreiflich zu werden. Peter ging schnell dazwischen und trennte sie. Er machte den Vorschlag, ich solle meine Hausaufgaben in Zukunft auf meinem Zimmer erledigen, um derartige Zwischenfälle zu vermeiden. Mein Zimmer war im ersten Stock, auf demselben Gang wie das von Taw. Es war ein hübsches Zimmer mit eigenem Bad und einem schönen Blick auf den Bach, der hinter dem Heim in den See mündete. Das Zimmer hatte ein verstellbares Krankenhausbett, einen Nachttisch, eine Kommode und einen Schreibtisch aus Eichenholz, der schon bessere Tage gesehen hatte. Über dem Bett hing ein Kabel mit einem roten Knopf am Ende, für den Fall, dass bei mir ein medizinischer Notfall einträte. Weil ich das Zimmer nur übergangsweise bewohnte, war so ziemlich die einzige Verschönerungsmaßnahme, die ich ergriffen hatte, eine Karte vom Amazonasbecken aufzuhängen.

Meine Hausaufgaben auf meinem Zimmer zu erledigen machte den Faustkämpfen ein Ende, nicht aber den Unterbrechungen. Nach Pressekonferenz und Abendessen ging ich für die Hausaufgaben nach oben. Es dauerte normalerweise keine zehn Minuten, bis ich ein leises Pochen an der Tür hörte:

ICH: Hallo, Mrs. Bellows. Was kann ich für Sie tun?

MRS BELLOWS: Ich weiß, dass du hier wahrscheinlich ziemlich einsam bist. Ich wollte dir nur sagen, wenn du jemanden brauchst, bei dem du dich aussprechen kannst, bin ich immer für dich da.

Ich: Das ist sehr nett von Ihnen. Aber im Augenblick ist es wohl besser, ich mache meine Hausaufgaben.

Mrs. Bellows: Aber selbstverständlich! Ich wollte dir auch nur sagen, dass ich da bin, falls du mich einmal brauchst.

Ich: Vielen Dank. Wenn ich jemanden brauche, um mich auszusprechen, werde ich auf Sie zurückkommen.

Mrs. Bellows: Wunderbar! Du bist so ein artiger junger Mann. Gar nicht wie mein Sohn, der nur dreimal im Jahr zu Besuch kommt.

[Zehn Minuten später klopft es erneut an der Tür.]

Ich: Mr. Clausen, wie schön, Sie zu sehen.

Mr. Clausen: Ich hoffe, ich störe nicht.

Ich: Ich wollte nur gerade meine Hausaufgaben –

Mr. Clausen: Eben deswegen bin ich da. Ich war früher Buchhalter. Ich bin ein echtes Mathe-Genie und ich wollte dir nur sagen, dass ich dir liebend gerne helfe, wenn du willst.

Ich: Vielen Dank für das Angebot, aber im Moment bin ich gerade mit Erdkunde beschäftigt.

Mr. Clausen: Hmmm ... Mit Erdkunde kenne ich mich leider überhaupt nicht aus. Aber wenn du zu Algebra kommst, dann bin ich der richtige Mann für dich. Da bin ich das reinste Genie. Ehrlich!

Es war jeden Abend dasselbe – ein unaufhörlicher Strom von Leuten, die eben mal vorbeischauten. Sie meinten es immer gut, aber ich hatte einfach keine Hilfe nötig – die Hausaufgaben waren simpel. Was ich nötig gehabt hätte, wäre gewesen, mit meinem Vater zusammen in unserem eigenen Haus zu sein. Oder noch besser wäre ich bei ihm in Brasilien gewesen. Aber ich hatte das Gefühl, das würde so schnell nicht passieren. Ein Monat verging und ich hatte nicht ein einziges Wort von ihm gehört.

Samstag und Sonntag waren immer am schlimmsten. Peter hatte an den Wochenenden frei, deswegen hatte ich niemanden, der mich irgendwo hinfahren konnte. Ich hätte einen der anderen Angestellten fragen können, aber ich wollte mich niemandem aufdrängen.

Es war einer der schlimmsten Winter in der Geschichte New Yorks. Zwei Tage nach der Abreise meines Vaters fing es an zu schneien und das Wetter blieb fast bis Ende Februar so. Die Schneepflüge hatten den Schnee an den Seiten der Straßen so hoch aufgetürmt, dass man das Gefühl hatte, durch eine Eishöhle zu fahren. Der See hinter dem Heim und der Bach, der in ihn mündete, waren dick zugefroren. Einmal bin ich bis dorthin gelaufen und wäre beinahe erfroren. Ich war noch nicht dazu gekommen, mir Winterkleidung zuzulegen. Und so war ich an den Wochenenden dazu verdammt, drinnen zu bleiben. Meistens blieb ich in meinem Zimmer und las. Wenn mir das Türklopfen zu viel wurde, flüchtete ich mich auf den Treppenabsatz im zweiten Stock.

Die Wendeltreppe in die oberen Stockwerke wurde kaum benutzt. Den Insassen war der Zutritt nur in Begleitung einer Schwester oder eines Pflegers erlaubt. Um in den zweiten oder dritten Stock zu gelangen, mussten die Insassen den Aufzug benutzen. Zum Glück galt diese Regel nicht für mich. Wenn ich allein sein wollte, ging ich zum Treppenabsatz im zweiten Stock und setzte mich auf den Sitz am Fenster, der vom Gang aus nicht zu sehen war. Von dort hatte ich einen herrlichen Ausblick auf den Bach und den See hinter dem Heim. Eines Nachmittags bemerkte Peter mich am Fenster, als ich gerade ein Buch las.

»Ich werde niemandem davon erzählen«, sagte er.

Als ich mich das nächste Mal ins Treppenhaus zurückzog, hing an der Wand über dem Sitz eine kleine Leselampe. Peter hat niemals ein Wort darüber gesagt, aber ich wusste, dass er sie dort angebracht hatte, damit ich den Platz auch am Abend aufsuchen konnte, falls es nötig war.

Wenn ich mich im Treppenhaus versteckt hielt, konnte ich immer noch hören, wie die Leute durch die Gänge liefen und nach mir suchten.

»Haben Sie Jake gesehen?«

»Nein, ich suche ihn selbst gerade.«

»Ich möchte bloß wissen, was er jetzt schon wieder ausheckt.«

»Weiß der Himmel, aber Sie wissen ja, wie die jungen Leute heutzutage so sind. Man kann einfach nie…«

Es dauerte eine Weile, aber schließlich lernte ich, die Stimmen der Suchenden zu ignorieren und mich auf meine Bücher zu konzentrieren.

Seit Docs Abreise hatte ich alles über den Amazonas gelesen, was ich auftreiben konnte. Jede Woche brachte mir der Lieferwagen einen neuen Stoß Bücher aus der Bücherei. Ich las über das Ökosystem des Regenwalds, über Eingeborenenstämme, die Geschichte Brasiliens, Insekten, Schlangen, Vögel, Säugetiere und natürlich über Jaguare. Tatsächlich war über Jaguare nur recht wenig geschrieben worden, abgesehen von der Information, dass sie die drittgrößte Raubkatze der Erde sind, nach Tigern und Löwen. Man weiß so wenig über sie, weil sie in sehr abgelegenen Gebieten leben, wo sie sich kaum einmal blicken lassen – und darin sind sie meinem Vater nicht ganz unähnlich.

Außerdem las ich Bücher über die Männer, die das Amazonasbecken erforscht hatten. Mein Lieblingsforscher war einer namens Colonel P. H. Fawcett. Seine Notizen und Tagebücher wurden 1953 unter dem Titel *Geheimnisse im brasilianischen Urwald* als Buch veröffentlicht. Er verbrachte sein ganzes Leben mit der Suche nach den legendären Goldminen von Muribeca, von denen einige Menschen glaubten, sie stünden mit einer uralten Zivilisation und einer versunkenen Stadt in Verbindung.

Begleitet von seinem ältesten Sohn und einem Freund seines Sohnes, startete Colonel Fawcett 1925 seine letzte Expedition, um die geheimnisvollen Minen zu suchen. Niemand hat je wieder von ihnen gehört.

Ein anderes Buch, das mir gut gefiel, stammte von Sir Arthur Conan Doyle, dem Schöpfer von Sherlock Holmes. Anscheinend waren er und Colonel Fawcett befreundet gewesen. Conan Doyle schrieb einen Roman mit dem Titel *Die vergessene Welt,* der auf einigen Tatsachen oder Gerüchten basierte, die Fawcett auf seinen verschiedenen Expeditionen gesehen und gehört hatte.

Und so lief das Ganze also ab – M & M, Frühstück, Schule, Hausaufgaben, verstecken – und kein Wort von Doc. Als er in Kenia und ich noch in New York gewesen war, hatte er zumindest ab und zu einen Brief geschrieben, dem ich entnehmen konnte, dass es ihm gut ging. Was machte er bloß da unten? Ich wusste, dass er dazu neigte, sich Hals über Kopf in ein Projekt zu stürzen und darüber so gut wie alles andere zu vergessen, aber das war das erste Mal, dass er mich vergessen hatte.

2

Im März hatte ich dann endgültig die Nase voll vom Heim. Es hatte weiter geschneit und die Schule war für ein paar Tage geschlossen. Der Büchereiwagen kam die Auffahrt nicht mehr herauf, es gab also keine neue Lektüre. Außerdem kamen die Verwandten der Insassen wegen des Schnees nicht mehr hierher und alle waren ziemlich niedergeschlagen.

Das Personal versuchte die Insassen aufzuheitern, indem Gruppenspiele und Theatersketche angeboten wurden, aber die Insassen waren nicht gerade mit Feuereifer bei der Sache. Sogar Taw schien unsere verschneite Abgeschiedenheit auf das Gemüt zu schlagen. Die meiste Zeit brachte er in seinem Zimmer zu, wo er durch das Teleskop schaute, das Doc ihm zu Weihnachten geschenkt hatte. Ich achtete darauf, mehrere Male am Tag in seinem Zimmer vorbeizuschauen, um zu sehen, wie es ihm ging. Ein paar Mal traf ich ihn vor dem Fernrohr tief und fest schlafend an und seine langen grauen Zöpfe hingen ihm in den Schoß.

Ich machte mir Sorgen um meinen Vater. Es sah ihm gar nicht ähnlich, überhaupt nicht anzurufen oder zu schreiben. Peter meinte, die Post in Brasilien funktioniere wohl nicht sehr gut. »Und der Schnee hier trägt auch nicht gerade dazu bei, unsere zu verbessern«, sagte er. Wahrscheinlich hatte er sogar Recht, aber das trug auch nicht dazu bei, meine wachsende Besorgnis zu verringern.

Ich fing an mir zu überlegen, wie ich nach Brasilien kommen könnte. Ich hatte einen gültigen Reisepass und mit der Kreditkarte, die Doc mir hier gelassen hatte, könnte ich mir ein Flugticket kaufen. Aber es gab dennoch eine Reihe von Hindernissen. Eines der Probleme war Peter. Er war für mich verantwortlich und es war völlig ausgeschlossen, dass er mich einfach so in den brasilianischen Urwald abzischen lassen würde. Und er würde vor Sorgen verrückt werden, wenn ich einfach abhaute – von den anderen Insassen ganz zu schweigen. Das konnte ich ihnen nicht antun.

Eine noch größere Hürde war die Tatsache, dass ich nicht die geringste Ahnung hatte, wo Doc sich überhaupt aufhielt. Ich wusste, dass er in eine Stadt namens Manaus geflogen war, aber inzwischen konnte er überall sein. Als ich nach dem Tod meiner Mutter nach Kenia flog, um Doc zu suchen, hatte ich zumindest eine grobe Vorstellung davon gehabt, wo er sich befand.

Und was, wenn ich es schaffen würde, nach Brasilien zu fliegen, während er sich gerade auf dem Rückweg nach Amerika befand?

Wie es aussah, war meine einzige Möglichkeit hier zu bleiben und mir weiter Sorgen zu machen. Meine Stimmung schwankte zwischen Resignation und Wut – Resignation, weil es absolut nichts gab, das ich in dieser Situation tun konnte, und Wut, weil Doc mich allein gelassen hatte, ohne mir irgendwelche Nachrichten zukommen zu lassen.

Eines Nachmittags hatte ich die Nase so gestrichen voll, dass ich einfach mit jemandem darüber sprechen musste. Es war Samstag und Peter war nicht da. Mir blieb nichts anderes übrig, als zu versuchen mit Taw zu reden. Es gab zwar nur eine fünfzigprozentige Chance, dass er sich daran erinnerte, wer ich war, oder dass er sich anhören würde, was ich zu sagen hatte, aber das war mir egal. Ich musste einfach irgendetwas tun, um diese bitteren Gedanken, die sich in meinem Kopf breit machten, loszuwerden. Ich klopfte an seine Tür. Er gab keine Antwort. Ich klopfte noch einmal, dann machte ich die Tür auf. Wie üblich saß er am Fenster und schaute durch das Teleskop. Er drehte sich nicht um. Ich ging hinüber und setzte mich aufs Bett.

»Ich muss mit dir reden, Taw.«

Er drehte sich immer noch nicht um.

»Das Leben hier frustriert mich langsam und ich mache mir Sorgen um Doc…«

Ich erzählte ihm alles, was ich auf dem Herzen hatte. Es muss bestimmt zwanzig Minuten gedauert haben, bis ich endlich fertig war. Und die ganze Zeit über bewegte Taw nicht einen einzigen Muskel seines dürren Körpers. Er schaute einfach weiter durch das Teleskop. Ich bezweifelte, dass er überhaupt ein Wort von meinen Ausführungen gehört hatte. Wahrscheinlich dachte er, es hätte sich dabei um eine Sendung in einem der Fernseher im Erdgeschoss gehandelt. Dennoch fühlte ich mich ein bisschen besser, nachdem ich das alles losgeworden war. Ich stand vom Bett auf.

»War schön, mit dir zu reden, Taw.«

Ich ging in Richtung Tür.

»Ein Zehner.«

Ich blieb stehen und drehte mich um. Taws Haltung war absolut unverändert. Einen Moment lang dachte ich, ich hätte mich verhört. Dann sagte er es wieder.

»Ein Zehner.«

Erst dachte ich, er wollte zehn Dollar haben. Ich hatte keine Ahnung, wozu er das Geld brauchte. Manchmal war es einfacher, meinem Großvater keine Fragen zu stellen. Ich holte meinen Geldbeutel heraus.

Taw bewegte sich vom Teleskop weg und deutete zum Fenster hinaus. »Schau.«

Ich ging hinüber und sah durch das Fernglas. Ich steckte den Geldbeutel ein und kam mir ein bisschen dumm vor. Ein großer Hirsch – ein Zehn*ender* – stand in der Nähe des zugefrorenen Sees an einem Baum. Er reckte den Hals, um am letzten erreichbaren Zweig, der noch etwas Laub trug, zu knabbern.

»Du solltest dich an ihn heranpirschen«, sagte Taw.

»Was?«

»So, wie du es in Kenia gelernt hast.«

In Kenia hatte mir ein Massai namens Supeet beigebracht, wie man sich an Tiere heranpirscht. Als ich wieder nach Poughkeepsie zurückgekehrt war, hatte ich Taw davon erzählt. Damals dachte ich, er hätte mir überhaupt nicht zugehört. Seit ich im Heim war, hatte ich keine Sekunde mehr an das Anpirschen gedacht.

»Das war etwas ganz anderes«, sagte ich und wandte mich vom Fernrohr ab. »Erstens war es dort viel wärmer und außerdem lag nicht ein halber Meter Schnee auf dem Boden.«

»Zieh dich warm an.«

»In Kenia war ich gar nicht angezogen beim Pirschen«, erwiderte ich. »Ich war nackt.«

»Viel zu kalt hier«, warf er ein. »Du musst etwas anziehen. Vielleicht ist alles, was dir fehlt, eine gute Pirsch. Ich schaue dir durch das Teleskop zu.«

Ich betrachtete den Hirsch noch einmal durch das Fernrohr. Er stand am gegenüberliegenden Ufer des Sees. Der Ostwind trieb leichten Schnee vor sich her. Ich würde von Westen her um den See herumkommen müssen, damit ich mich ihm gegen den Wind nähern konnte. »Das würde sehr lange dauern«, erklärte ich.

»Ich habe viel Zeit.«

»Ich weiß nicht, wie nahe ich herankommen kann.«

»Du musst es ausprobieren.«

Ich ging zurück in mein Zimmer, zog mir weiße Turnschuhe und drei Hemden an und schnappte mir meinen Kopfkissenbezug. Mein nächster Halt war die Kleiderkammer, in der die Schwestern und Pfleger ihre gereinigten weißen Uniformen aufbewahrten. Ich fand eine von Peters Hosen, die ich über die Hose, die ich bereits trug, streifte. Ich zog meinen Mantel an, dann suchte ich einen weißen Laborkittel, der weit genug war, dass er darüber passte. Der nächste Teil der Ausrüstung waren Einweg-Operationshandschuhe, die zwar die Hände nicht warm halten würden, aber zumindest ein wenig zur Tarnung beitragen konnten. Krönender Abschluss war der Kopfkissenbezug. Ich fand einen schwarzen Filzstift und streifte mir den Bezug über den Kopf, um die Stellen, an denen meine Augen waren, zu markieren. Ich nahm ihn wieder ab und schnitt genau dort Löcher hinein, dann stülpte ich ihn mir wieder über und schaute in den Spiegel. Ich sah aus, als hätte ich mich für Halloween verkleidet.

Die nächste Herausforderung war, das Haus zu verlassen, ohne in diesem Aufzug von irgendjemandem gesehen zu werden. Es war relativ einfach, da einer der Insassen ein

Klavierkonzert gab und alle unten im Aufenthaltsraum waren, um zuzuhören.

Draußen war es weniger kalt, als ich erwartet hatte. Und als ich anfing mit weit ausholenden Schritten durch den tiefen Schnee zu traben, wurde mir im Gegenteil sogar ein wenig warm. Ich winkte Taw an seinem Fenster zu und hoffte, er würde mich nicht aus den Augen verlieren, während ich mich an den Hirsch heranpirschte.

Ich hatte vor, mich in gleichmäßigem Tempo zu nähern, bis ich nur ungefähr hundertdreißig Meter von ihm entfernt wäre. Während ich um den See herumging, machte ich einige kleine Experimente beim Laufen durch den hohen Schnee. Es war viel schwieriger als das Pirschen in Kenia, denn hier musste ich bei jedem Schritt mein Bein über einen halben Meter hoch anheben.

Bevor ich mit dem eigentlichen Pirschen anfing, blieb ich stehen, um noch einmal tief Luft zu holen. Der Hirsch stand hinter einem großen Baum. Wenn ich mich langsam bewegte und der Baum immer zwischen mir und dem Hirsch bliebe, hatte ich eine gute Chance, wenigstens bis an den Baum heranzukommen, bevor das Tier mich bemerken würde.

Ich machte einen langsamen Schritt nach dem anderen, wie ein Blaureiher, der durch Brackwasser watet. Anfangs hatte ich noch Krämpfe in den Beinen, aber ich ignorierte den Schmerz, und schließlich vergingen sie wieder. Ich fiel in den Pirschrhythmus – ein Zustand, in dem nichts mehr zählt, außer unentdeckt den Hirsch zu erreichen.

Als ich näher kam, konzentrierte ich mich auf die Ohren des Tiers. Sie bewegten sich unablässig wie zwei Radarschüsseln, die die schneebedeckte Landschaft nach einer nahenden Gefahr absuchten. Je näher ich kam, desto langsamer bewegte ich mich. Wenn der Hirsch den Kopf in meine Richtung wandte, hielt ich mitten im Schritt inne und verharrte in dieser Position, bis er wieder wegsah und von neuem zu fressen anfing.

Als ich den Baum erreicht hatte, blieb ich am Stamm stehen. Ich war so dicht bei dem Hirsch, dass ich hören konnte, wie er die spröden Blätter von den Zweigen zupfte. Er war nicht mehr als zwei oder zweieinhalb Meter von mir entfernt. Ich machte eine Pause, dann trat ich sehr, sehr langsam hinter dem Baum hervor. Der Hirsch hörte auf zu fressen und schaute mich geradewegs an, die Ohren steil aufgerichtet. Seine Nüstern bebten und ich konnte seinen Atem sehen. Er hatte keine Ahnung, was ich war oder wie ich an diesen Ort kam.

»Wer hat Angst vorm weißen Mann?«, flüsterte ich und zog mir den Kissenbezug vom Kopf. Der Hirsch schnaubte und wirbelte auf den Hinterläufen herum. Er sprang in großen Sätzen davon und sein Schwanz ragte dabei steil in die Luft, sodass die weiße Unterseite zu sehen war.

Ich hätte mich schuldig fühlen sollen, weil ich ihn bei seinem kargen Wintermahl unterbrochen hatte, aber stattdessen war ich außer mir vor Begeisterung. Ich hüpfte auf und ab und schwenkte den Kissenbezug durch die Luft in der Hoffnung, Taw hätte das ganze Spektakel gesehen. Wie ich ihn kannte, war er wahrscheinlich mittendrin eingeschlafen, aber das machte mir auch nichts aus. Wie Taw es vorhergesagt hatte, konnte ich durch das Pirschen zum ersten Mal, seit Doc nach Brasilien abgereist war, meine Probleme vergessen.

Ich ging zum Heim zurück und fühlte mich phantastisch. Als ich wieder dort war, war es schon beinahe dunkel geworden. Bevor ich hineinging, streifte ich die nassen Turnschuhe und Peters Hose ab. Ich rannte die Treppe zu Taws Zimmer hinauf, um herauszufinden, wie viel er von der Pirsch mitbekommen hatte. In seinem Zimmer drängten sich ungefähr dreißig Leute, einige weitere mussten im Gang ausharren. »Ich konnte gar nichts sehen«, beschwerte sich Mrs. Mapes. »Wir brauchen mehr von diesen Teleskop-Dingern«, meinte Mr. Clausen.

Während ich mich durch die Menge drängte, klopften mir die Leute auf die Schultern und gratulierten mir. Taw saß auf dem Bett und grinste. Eigentlich grinsten und lachten alle. Es war, als hätte sich die Depression der letzten Wochen auf wundersame Weise verflüchtigt.

»Ich habe ein paar Freunde eingeladen«, sagte Taw.

»Wie viel hast du gesehen?«

»Wir haben uns abgewechselt«, erklärte er. »Sie haben mich drangelassen, als du hinter dem Baum vorgekommen bist.«

Marcy, die Schwester vom Dienst, bahnte sich ihren Weg durch die Menge bis an Taws Bett. »Ich habe an dein Zimmer geklopft, Jake, aber du warst nicht da. Dann bin ich hierher gekommen und habe gesehen, was du so treibst.« Sie griff in die Tasche und zog ein gefaltetes Blatt Papier heraus. »Während du da draußen warst, kam dieses Fax von deinem Vater.«

Ich nahm das Blatt Papier. Ich wollte es nicht vor den anderen lesen. Ich entschuldigte mich und ging zum Sitz am Fenster, wo ich die Lampe anschaltete.

Lieber Jake,

entschuldige bitte, dass ich nicht geschrieben oder angerufen habe. Es war einfach alles zu verrückt hier unten und ich dachte ja, dass ich sowieso in allernächster Zeit zurückkommen würde, also habe ich gar nicht erst versucht, dich zu erreichen. So, wie es aussieht, dauert das Ganze hier aber doch länger als geplant.

Am Kennedy International Airport liegt ein Flugticket für dich bereit. Der Hinflug ist am 21. März, der Rückflug ist für den 30. März gebucht. Du gehst einfach mit deinem Pass zum Pan-Am-Schalter – du fliegst mit Flug Nummer 626 nach Brasília. Du wirst die Nacht in Brasília verbringen und dann den Nachmittagsflug nach Manaus nehmen müssen. Du kannst in einem der Hotels am Flughafen von Brasília bleiben.

Das Einzige, was du vor der Abreise noch machen musst, ist, den Pass über Nacht in die brasilianische Botschaft zu geben, um ein Visum zu bekommen. Ich habe bereits mit der Botschaft Kontakt aufgenommen, man wird den Pass abstempeln und ihn dir vor dem Abflug wieder aushändigen. Ich bin sicher, Peter kann dir dabei behilflich sein.

Wir freuen uns auf deinen Besuch…

Alles Liebe, Dad

Meinen Besuch? Die Termine stimmten mit den Frühjahrsferien überein. Es hörte sich nicht so an, als hätte Doc vor, in absehbarer Zeit zurückzukommen. Und er wollte ganz offensichtlich nicht, dass ich mit ihm dort bliebe.

Taw kam die Treppe herunter und setzte sich neben mich. Ich war überrascht, ihn ohne Schwester auf der Treppe zu sehen, aber das sagte ich nicht. Stattdessen zeigte ich ihm das Fax.

»Wir werden dich vermissen«, sagte er.

»Ich bin ja nur eine Woche weg.«

»Wann fliegst du?«, wollte er wissen.

»Nächsten Samstag.«

Er schaute zur Lampe hoch. »Kommst du damit zurecht?«

Ich starrte ihn an. »Hast du die Lampe hier angebracht, Taw?«

Er nickte.

»Ich dachte, Peter hätte sie für mich aufgehängt. Wie hast du es…«

»Psst.« Er hielt einen Finger an die Lippen. »Ohne Schwester darf ich eigentlich gar nicht auf die Treppe.«

3

Die nächsten fünf Tage zogen sich hin wie Kaugummi…

Am Freitag schaute ich während des Unterrichts alle zehn Minuten auf die Uhr und malte mir aus, wo ich morgen um diese Zeit wohl sein würde. Nach der Schule holte Peter mich ab und brachte mich zum Heim. An diesem Abend war die Pressekonferenz überfüllt. Das große Hirschabenteuer hatte das Interesse aller am jüngsten Insassen wieder belebt. Ich hatte kaum etwas über den Tag zu berichten, aber das spielte keine Rolle. Was sie hören wollten, war die Geschichte, wie ich gelernt hatte, mich an Tiere heranzupirschen – zum fünften Mal in dieser Woche.

Zum Abendessen hatten sie eine kleine Feier für mich vorbereitet. Mrs. Clausen hatte einen Kuchen gebacken und ihn mit einem wunderschönen Jaguar verziert. Als wir gegessen hatten, stand Taw auf, um etwas zu sagen. Alle waren ganz still. Er schaute verwirrt, als hätte er vergessen, warum er aufgestanden war.

Mrs. Mapes eilte ihm zu Hilfe. »Was Taw sagen wollte, oder vielmehr, was er vorschlagen wollte, war, dass du mit uns in Verbindung bleibst, solange du dort unten bist, Jake.«

»Lageberichte!«, meinte Mr. Blondell. »Du weißt schon, wie sie die Kriegsberichterstatter während des Vietnamkriegs nach Amerika geschickt haben. Meldungen über die aktuellen Vorgänge. Als unser Junge in Vietnam war, waren meine Frau und ich völlig von diesen Berichten abhängig. Ohne sie wären wir aufgeschmissen gewesen.«

»Ich bin ja nur eine Woche weg«, sagte ich. »Und ich weiß nicht einmal, ob es da, wo mein Vater ist, überhaupt ein Telefon gibt.«

»Ein Faxgerät muss es auf jeden Fall geben«, beharrte Mrs. Mapes. »Schließlich hat sich dein Vater ja so bei dir gemeldet.« Sie gab mir einen Zettel, auf den sie die Faxnummer des Heims gekritzelt hatte.

»Ich werd's versuchen«, versprach ich. Aber ich bezweifelte, dass Doc ein Faxgerät zur Verfügung stand. Ich zog mich früh auf mein Zimmer zurück und sagte allen, ich müsse mich auf die Reise vorbereiten. Ich brauchte nicht einmal drei Minuten, um zu packen. Als ich fertig war, legte ich mich aufs Bett und dachte an Doc. Ich spielte mit dem Amulett, das ich immer um den Hals trug. Es war ein runder, flacher Stein, der ungefähr so groß wie ein Vierteldollar war. In der Mitte hatte er ein Loch und um das Loch herum wand sich eine sehr sorgfältig aus dem Stein herausgehauene Schlange, die sich in den Schwanz biss. Das Amulett hatte Taw gehört, als er noch jung war. Er hatte es meinem Vater geschenkt und mein Vater schenkte es meiner Mutter zur Hochzeit. Seit dem Tod meiner Mutter trug ich es immer bei mir.

Mir war klar, dass Doc mich nicht geholt hätte, wenn er in näherer Zukunft zurückkehren wollte. Ich versuchte mir die verschiedensten Gründe zu überlegen, um ihn zu überzeugen, dass ich dort bleiben sollte, aber ich wusste, das war aussichtslos.

Am nächsten Morgen war ich schon vor Sonnenaufgang wach. Peter wollte um sechs ins Heim kommen, um mich zum Kennedy-Airport zu bringen. Mein Flug ging erst um elf und es waren nur etwa zwei Stunden Fahrt bis dorthin, aber ich wollte unterwegs noch einen Halt einlegen.

Ich brachte meine Tasche nach unten und stellte sie am Eingang ab, dann ging ich in die Küche, um zu sehen, ob ich etwas Essbares bekommen könnte. Peter kam so gegen zehn vor sechs und setzte sich neben mich, während ich Rührei und Toast aß.

»Wo ist Taw?«, fragte er.

»Er schläft«, erwiderte ich. »Ich habe mir überlegt, ob ich ihn wecken und mich von ihm verabschieden soll, aber ich wollte ihn nicht nerven.«

Peter lächelte. »Als ich mich gestern mit ihm unterhalten habe, sagte er, er würde mit uns kommen, um dir nachzuwinken. Auf dem Rückweg will er mir dann alle Häuser in der Stadt zeigen, die er gebaut hat.«

»Ich bin sicher, er hat es gut gemeint«, erklärte ich ihm. »Aber wahrscheinlich hat er es einfach vergessen. Gestern

Abend sollte er eine Ansprache halten und hat völlig vergessen, was er sagen wollte. In letzter Zeit scheint ihm das immer häufiger zu passieren.«

»Er ist klarer bei Verstand, als du meinst. Geh lieber hoch und schau nach. Er wird ganz schön traurig sein, wenn wir ihn einfach hier zurücklassen.«

Ich ging zu Taws Zimmer und machte leise die Tür auf. Er saß vor dem Fenster. Wie üblich drehte er sich nicht um und sagte auch nichts. Ich wusste, wenn das Wetter wieder besser werden würde, dann säße er wieder unten am Bach, um einfach zuzuschauen, wie das Wasser vorüberfließt. Das liebte er.

Ich blieb einen Augenblick lang stehen, betrachtete sein langes graues Haar, das offen über die Stuhllehne hing – dass es ungeflochten war, bedeutete, dass er es gerade erst gewaschen hatte. Vielleicht hatte er ja wirklich vor, mit uns zu kommen.

»Guten Morgen, Taw.«

»Jemand muss mir die Haare flechten«, sagte er, ohne sich umzudrehen. Ich konnte nicht genau sagen, ob er gerade klar bei Verstand war oder nicht. Möglicherweise hielt er mich für einen der Helfer oder Pfleger.

Als ich noch klein war, brachte meine Mutter mir an Taws Haaren bei, wie man Zöpfe flicht. Ich nahm Bürste, Kamm und Bänder von der Kommode. Ich stellte mich hinter ihn und fing an seine Haare zu kämmen.

»Wie geht es deinem Vater?«, wollte er wissen.

»Ich weiß es nicht. Ich habe ihn schon eine Weile nicht mehr gesehen.«

Taw nickte. Ich zog ihm auf der Mitte des Kopfes einen Scheitel und fing an zu flechten.

»Nicht zu fest«, sagte er. »Wenn es fest ist, bekomme ich immer Kopfschmerzen.«

»Okay.« Als ich mit dem ersten Zopf fertig war, streifte ich ein Gummiband um das Ende. »Ich werde eine Woche lang fort sein.«

»Das hat mir Peter auch schon gesagt«, erklärte Taw. »Ich werde mit euch in die Stadt fahren.«

»Ich fliege nach Brasilien. Dad richtet ein Jaguarreservat ein.«

»Einmal habe ich auch einen Jaguar gesehen.«

Wahrscheinlich im Zoo, dachte ich.

»Das war in Arizona, im Reservat. Damals war ich acht oder neun. Ein Jäger hat ihn erlegt.«

Ich hatte gelesen, dass Jaguare früher über die mexikanische Grenze kamen und bis nach Arizona zogen. Aber es war schon lange her, dass es im nördlichen Mexiko noch ein paar Jaguare gegeben hatte.

»Er lag auf der Ladefläche von einem Transporter. Der Jäger ist ins Reservat gekommen, um im Laden Vorräte zu besorgen. Er hat sich mit der Katze fotografieren lassen. Ich habe den Jaguar angefasst. Sein Fell war schön und weich, aber sein Körper war kalt und steif. Dann habe ich mir vorgestellt, wie wundervoll es wäre, in den Bergen einen lebendigen Jaguar zu sehen. Aber ich habe niemals einen gesehen. Niemand hat einen gesehen.«

»Das ist eine tolle Geschichte, Taw.«

Er nickte.

»Du wirst mir fehlen«, sagte ich.

»Es ist heiß in Brasilien«, meinte er.

»Lass uns lieber gehen, Taw. Peter wartet schon.«

Als wir in Brooklyn ankamen, hielt Peter an einem Blumenladen an, damit ich einen Strauß kaufen konnte. Von dort fuhren wir weiter bis zum Friedhof, wo wir am Eingang anhielten, um uns einen Lageplan zu besorgen, damit wir meine Ma unter den tausenden von Grabsteinen auch finden würden. Die Schneedecke ließ alles gleich aussehen. Wir fuhren zwei komplette Runden, bevor wir den richtigen Platz gefunden hatten.

Peter parkte das Auto, so nahe es ging, und sagte, er würde warten. Es war mein dritter Besuch am Grab meiner Mutter.

»Ich komme mit dir«, sagte Taw.

»Der Schnee ist ziemlich tief, Taw.«

Anstatt zu antworten, stieg Taw aus.

»Mit seinen Beinen ist schließlich alles in Ordnung«, meinte Peter.

Peter hatte Recht. Taw hatte keinerlei Probleme damit, sich durch den Schnee zu arbeiten. Als wir oben auf der kleinen Anhöhe angekommen waren, auf der sich das Grab meiner Mutter befand, war er noch nicht einmal außer Atem. Ich beschloss, dass wir, wenn ich zurück wäre, gemeinsam spazieren gehen würden, wann immer es möglich war. Das würde uns beiden gut tun.

»Da wären wir«, sagte ich.

Ich fegte den Schnee von der Platte. Als ich den Namen meiner Mutter in den Marmor gemeißelt vor mir sah, fühlte ich einen wohl bekannten Kloß in meiner Kehle und ich spürte warme Tränen über meine kalten Wangen rinnen. Ich teilte die Blumen in zwei Sträuße und gab Taw einen davon. Ich bettete meine Blumen in den Schnee. Taw roch an den Blumen, die er hielt, dann schaute er in den Himmel auf.

»Ma liegt hier begraben.«

»Ich weiß, Jake.« Taw legte seine Blumen neben meine. »Ich habe nachgedacht. Wenn du wiederkommst, könnten wir ja vielleicht nach Arizona fahren. Ich möchte gerne das Reservat noch einmal sehen. Ich möchte gerne wieder nach Hause gehen.«

Ich starrte ihn an. So klar war er nicht gewesen, seit ich aus Kenia zurück war.

»Das wäre phantastisch. Natürlich fahre ich mit dir dorthin.«

»Ich werde dich vermissen«, sagte er. »Versuch in Kontakt mit uns zu bleiben. Das würde uns allen sehr viel bedeuten.«

»Ich bin ja nur eine Woche lang dort unten«, versicherte ich ihm.

Taw lächelte und legte eine Hand auf meine Schulter.

Als wir am Auto angekommen waren, drehte ich mich noch einmal zum Grab meiner Mutter um. Ihre Blumen waren die einzigen Farbtupfer auf dem schneebedeckten Hügel.

Manaus

4

Am späten Samstagabend kam ich in Brasília an. In der überfüllten Ankunftshalle drängten sich verschwitzte Menschen und schrien dabei auf Portugiesisch, wovon ich aber kein Wort verstand.

Peter hatte in einem Hotel gleich am Flughafen ein Zimmer für mich reserviert. Ich meldete mich an der Rezeption, ging in mein Zimmer, schaltete den Fernseher an und schlief ein, während ich mir eine Folge *Raumschiff Enterprise* auf Portugiesisch anschaute.

Am nächsten Morgen frühstückte ich, dann ging ich zurück zum Flughafen und wartete auf meinen nächsten Flug. Als ich in Manaus aus dem Flugzeug stieg, hätte mich der Hitzeschwall, der mir entgegenkam, beinahe umgeworfen. Die Luft einzuatmen war, als würde man Dampf inhalieren. Als ich endlich den kurzen Weg zum Ankunftsgebäude gegangen war, war ich schweißgebadet.

Drinnen warteten eine Menge Leute, von denen jeder ein Schild mit ungelenk gemalten Nachnamen darauf in die Höhe hielt. Ich versuchte meinen Vater in der Menge auszumachen, konnte ihn aber nirgends erspähen. Ich war schon drauf und dran, mich durch das Gewühl zu kämpfen, um ihn in einem anderen Teil des Flughafens zu suchen, als ich ein Schild mit der Aufschrift LANSA entdeckte. Ein Mann, den ich noch nie zuvor gesehen hatte, hielt es hoch. Er war groß, sehr hager und völlig kahlköpfig. Seine Sonnenbrille war so breit wie sein Gesicht, er trug einen violetten Pullunder, kurze Hosen und Sandalen, in der Hand hielt er einen alten, zerknitterten Hut. Seine linke Schulter zierte ein eintätowierter großer blauer Schmetterling. Sicherheitshalber las ich das Schild noch einmal, dann ging ich langsam auf ihn zu.

»Bist du Jake?«, brüllte er über den Lärm hinweg.

Ich nickte.

»Mir nach.« Er drehte sich um und fing an sich seinen Weg durch das Gewühl zu bahnen.

Ich war nicht sicher, ob ich ihm folgen sollte oder nicht. Ich drehte mich um und hielt noch einmal nach meinem Vater Ausschau. Ohne Erfolg. Als ich mich wieder umwandte, winkte das bebrillte Gerippe mir ungeduldig zu, ich solle endlich mit ihm kommen. In sicherer Entfernung folgte ich ihm.

Als wir das Ankunftsgebäude verlassen hatten, blieb er stehen und setzte den alten, zerbeulten Hut auf, der aussah, als hätte jemand einen Kopfstand in einem Hühnerstall damit gemacht.

»Ich heiße Buzz Lindbergh«, sagte er und streckte eine Hand aus, die von dicken Schichten schwarzen Altöls überzogen war, wahrscheinlich so dauerhaft wie die Tätowierung auf seiner Schulter. Ich schüttelte seine Hand, dann fragte ich ihn, wo mein Vater sei. »Er hat's nicht geschafft. Er musste mit Bill ein Stück flussabwärts fahren, um das Boot zu besorgen. Ich schätze, sie werden morgen irgendwann zurückkommen.«

Bills Namen zu hören beruhigte mich ein wenig. Ganz offensichtlich hatte Buzz irgendetwas mit dem Jaguarreservat zu tun.

»Der Flitzer steht da drüben.«

Er bemerkte mein Zögern und grinste. »Ich kann's dir nicht verdenken, dass du ein bisschen misstrauisch bist. Ich glaube kaum, dass ich selber mit mir mitkäme, wenn ich mich nicht kennen würde! Wollen mal sehen, was wir da machen können ...« Er überlegte kurz, dann fuhr er fort: »Bill Brewster ist mit deinem Vater befreundet, seit sie miteinander auf dem College waren. Dein Großvater heißt Tawupu – er ist Hopi-Indianer. Er lebt in einem Altenwohnheim in Poughkeepsie, New York. Seit Doc hier unten ist, wohnst du ebenfalls dort. Letztes Jahr warst du mit deinem Vater in Kenia. Nach eurer Rückkehr hast du angefangen Flugstunden zu nehmen. Dein ...«

»Schon gut«, unterbrach ich ihn. »Sie haben mich überzeugt.«

»Schön. Es ist Zeit, zur Lagerhalle zu gehen.«

»Lagerhalle?«

»Du wirst schon sehen.«

Er führte mich zu einem alten Laster, an dem sich kein Quadratzentimeter intaktes Blech mehr befand. Er war dermaßen heruntergekommen, dass das Dach der Fahrerkabine einfach weggerostet war und sie jetzt praktisch ein permanent geöffnetes Schiebedach hatte.

»Und das ist der Flitzer?«

»Ja.«

Zwei Jugendliche saßen auf dem, was von der Karosserie noch übrig war. Buzz zog ein paar lose Geldscheine aus der Tasche und gab jedem von ihnen einen. Sie packten sie und rannten davon.

»Regel Nummer eins in Manaus«, erklärte Buzz, »lass nichts, das du wieder sehen möchtest, ohne einen Wächter zurück. Zwei Wächter, wenn du es dir leisten kannst. Das gehört zum Wirtschaftssystem hier unten. So ähnlich wie die Versicherungen in Amerika. Spring rein.«

Reinzuspringen war leicht. Die Beifahrerseite hatte keine Tür. Ich kletterte hinein und setzte mich. Etwas Spitzes stach mich. Ich sprang auf und hörte, wie meine Hose riss. »Tut mir Leid«, sagte Buzz. »Ich hätte dich warnen sollen.« Er nahm eine Schreibunterlage mit Klemmhalterung vom Armaturenbrett und legte sie auf die lose Feder. Ich setzte mich wieder und hoffte, die Wunde an meinem Hintern würde mir keine Tetanusinfektion bescheren.

Buzz trat ein paar Mal auf das Gaspedal, als wolle er einen Skorpion zertrampeln. »Kein Schlüssel«, erläuterte er und griff unter das Armaturenbrett, um den Wagen mit zwei Kabeln anzulassen. Der Motor hustete, stotterte und stieß schließlich eine dicke schwarze Qualmwolke aus.

»Auspufftopf haben wir auch keinen!«, schrie er durch den Höllenlärm. Wir fuhren ruckartig an und kamen an einem fröhlichen Schild vorbei, das in mehreren Sprachen verkündete: WILLKOMMEN IN MANAUS!

Es war zwecklos, zu versuchen bei all dem Krach mit Buzz zu sprechen. Ich wartete also ab und versuchte mich an ein paar von den Dingen zu erinnern, die ich im Heim über Manaus gelesen hatte.

Manaus liegt neunhundertfünfzig Kilometer landeinwärts von der brasilianischen Küste am Rio Negro, nahe der Stelle, wo Rio Solimões und Rio Negro sich zum Amazonas vereinen. Die Stadt wurde im siebzehnten Jahrhundert von portugiesischen Kolonisten gegründet und nach einem Indiostamm benannt, der in der Gegend lebte.

Im Jahre 1893 entdeckte Charles Goodyear eine Methode, aus dem Saft der Gummibäume Gummi zu gewinnen und beispielsweise Reifen daraus zu machen. Diese Entdeckung machte Manaus zu einer blühenden Stadt mitten im Urwald. Plantagenbesitzer, Gummihändler und Bankiers wurden durch den Export von Gummi reich und bauten sich mit dem gerade erlangten Vermögen wahre Paläste. Sie errichteten auch ein wunderschönes Opernhaus in der Mitte der Stadt und die berühmtesten Sänger der Welt kamen von überall her den Amazonas heraufgereist, um hier aufzutreten. Es hieß, dass manche Einwohner von Manaus so reich waren, dass sie ihre schmutzige Wäsche zur Reinigung nach Europa schickten. Dieser Wohlstand war nur von kurzer Dauer. Die Briten kamen und schafften es, Sämlinge von Gummibäumen nach England zu schmuggeln. Sie züchteten die Bäume und brachten tausende davon nach Ceylon und Malaysia, wo sie eigene Plantagen gründeten. Der Wettbewerb ließ den Gummimarkt in Manaus zusammenbrechen und die Bewohner hörten auf ihre Wäsche nach Europa zu schicken. Seit dieser Zeit herrschen in Manaus Not und Armut.

Das Erste, was mich an Manaus überraschte, war die grauenhafte Luftverschmutzung. Ein dichter Nebel aus Holzrauch und Dieseldämpfen hing in der schwülen Luft. Während Buzz sich selbstmörderisch einen Weg durch den nahezu undurchdringlichen Verkehr bahnte, tränten meine Augen.

Die Straßen der Stadt waren überfüllt mit Autos und Motorrädern. Auf den Bürgersteigen schleppten sich Menschenmengen durch die spätnachmittägliche Hitze. Buzz fuhr zum Ufer und wir kamen an einem Markt vorbei. Kinderbanden in zerrissenen T-Shirts und kurzen Hosen rannten mit aufgehaltenen Händen neben dem Laster her und bettelten um Geld. Dutzende von schwarzen Geiern hockten auf den Dächern und den Bäumen, die den Markt umstanden, und warteten darauf, dass etwas Essbares auf den Boden fiele.

Wir hielten an einem Tor aus Maschendraht an und Buzz sprang aus dem Wagen, um es zu öffnen. Er fuhr durch und hielt erneut an.

»Ich mach das schon«, sagte ich und schloss das Tor hinter uns.

Er fuhr über eine Schotterstraße und hielt vor einem riesigen Lagerhaus, das noch rostiger war als der Laster, den er fuhr.

»Unser trautes Heim«, erklärte er.

In einem Stuhl, ans Lagerhaus gelehnt, saß ein Mann in völlig verdreckter Kleidung. In den Armen wiegte er eine alte doppelläufige Flinte. Buzz sprach kurz auf Portugiesisch mit ihm und gab ihm etwas Geld. Der Mann sah mich aus seinen blutunterlaufenen, feindseligen Augen kurz an, dann ging er in die Richtung, aus der wir gekommen waren, davon.

»Noch ein Wächter?«

Buzz nickte und schob ein breites Einfahrtstor auf. Ich ging hinein und wankte sofort wieder zurück. Die Hitze im Lagerhaus hätte gereicht, um Pizza zu backen, und es roch nach fauligem Obst.

»Ich mache die andere Seite auch noch auf, damit wir ein bisschen Durchzug haben.« Buzz verschwand im dunklen Inneren und gleich darauf erschien am gegenüberliegenden Ende ein Lichtstreifen, der immer breiter wurde.

Ich ging weiter in das Lagerhaus hinein, blieb aber

stehen, als etwas auf meinen Kopf klatschte. Ich langte hinauf, um es wegzuwischen, und meine Hand war mit stinkendem Schleim verschmiert. »Was zum …«

»Kannst du sie nicht hören?«

»Wen soll ich hören?«

»Die Fledermäuse«, rief Buzz. »Sie schicken ihre Ultraschallwellen gegen die Metallwände.«

Ich horchte und konnte sehr hohe, kurze Suchtöne wahrnehmen, die durch das Lagerhaus schwirrten. Der Boden war bedeckt mit klebrigem Fledermausmist. Ich schaute kurz nach oben, aber es war zu dunkel, um irgendwelche Fledermäuse an den Balken zu entdecken.

»Ich hätte dich warnen sollen«, meinte Buzz. »Hier drin muss man einen Hut aufhaben.« Er öffnete eine Tür und knipste das Licht an. »Im Büro ist es sicher.«

Auf dem Weg dorthin wurde ich noch zweimal getroffen.

»Streif dir die Schuhe ab, bevor du reinkommst.« Buzz deutete auf eine Matte vor der Tür.

»Wie viele Fledermäuse hängen denn da oben?«

»Zähl sie doch.«

Buzz nahm eine Taschenlampe und richtete den Strahl gegen die Decke. Ich schaute hoch und der Mund blieb mir offen stehen. Ich machte ihn schnell wieder zu, bevor mir etwas Unappetitliches hineinfallen konnte. Jeder Zentimeter des Daches war von kleinen, sich krümmenden Fledermäusen bedeckt. Es mussten tausende sein.

»Flederhunde«, erklärte Buzz. »Den Laden haben wir zu einem verdammt guten Preis bekommen.«

»Darauf möchte ich wetten.«

»Komm rein.«

Ich trat ein. Eine Klimaanlage! Wahrscheinlich waren es hier drinnen immer noch fünfundzwanzig Grad, aber verglichen mit dem Lagerhaus war es wie in der Arktis. »Alle Annehmlichkeiten der Heimat«, sagte Buzz.

Ich sah mich um. An einer Wand standen zwei Etagenbetten. An der Wand gegenüber war eine kleine Küche eingerichtet, mit Spüle, Kühlschrank und Herd.

»Hier drinnen machen wir den Großteil unserer Arbeit.«

»Gute Idee.«

»Ich zeige dir den Rest.«

Er öffnete eine Tür bei der Spüle und führte mich durch einen kurzen Gang zu einem Zimmer von etwa derselben Größe. Eine Wand war mit Satellitenaufnahmen und Karten des Amazonasbeckens bedeckt. Es standen mehrere Werkbänke mit Werkzeug und einer Funkausrüstung zum Orten der Tiere herum. Buzz öffnete eine weitere Tür und zeigte mir das Bad.

»Du möchtest dich vielleicht waschen und deine Hose ausziehen.«

Den Riss in der Hose hatte ich völlig vergessen. Ich griff nach hinten und stellte fest, dass das Loch größer war, als ich gedacht hatte.

»Ja«, sagte ich. »Keine schlechte Idee.«

Ich war wütend, weil Doc mich nicht vom Flughafen abgeholt hatte. Er hätte mich wenigstens anrufen können, um mich auf Buzz vorzubereiten. Die einzige Entschuldigung, die mir einfiel, war, dass es in der Nähe kein Telefon gab oder dass er womöglich sofort, nachdem er mir das Fax ins Heim geschickt hatte, die Stadt verlassen musste.

Nachdem ich geduscht und mir frische Wäsche angezogen hatte, fühlte ich mich etwas besser. Ich blieb im Kartenzimmer stehen und nahm Karten und Ausrüstung genauer unter die Lupe. Auf einer der Karten war eine große Fläche in Rot eingezeichnet. Ich nahm an, dass dies das Jaguarreservat sein musste. Es war weit weg von Manaus. Buzz hatte gesagt, dass Doc und Bill ein Boot flussaufwärts hierher bringen würden. Das bedeutete wohl, dass sie noch nicht im Reservat gewesen waren, was wiederum bedeuten musste, dass Doc die letzten sieben Wochen in Manaus gewesen war, was nichts anderes hieß, als dass er mich hätte anrufen können, wenn er gewollt hätte.

Ich ging in den Schlafraum, um Buzz zu fragen, was hier los sei, aber er war nicht da. Allerdings fand ich ein Telefon und ein Faxgerät. Ich hob den Hörer ab. Das Freizeichen ertönte. Doc hätte mich problemlos anrufen oder mir ein Fax schicken können. Langsam wurde ich wieder wütend.

In der Tür zum Lagerhaus war ein Fenster. Ich legte die Hände um die Augen und schaute hinaus. Es war zu dunkel, um irgendetwas deutlich erkennen zu können. Alles, was ich sah, waren Stapel, die mit Plastikplanen vor dem Regen aus Fledermausmist geschützt waren.

Ich wartete ungefähr zehn Minuten, dann beschloss ich, Buzz zu suchen. Bevor ich durch die Tür ging, setzte ich meine Baseball-Mütze auf. Im Lagerhaus roch es jetzt nicht mehr so säuerlich wie vorher und es war mindestens fünf Grad kälter.

Ich ging durch die Hintertür hinaus. Ungefähr fünfzehn Meter entfernt, ragte eine Schiffanlagestelle in den Rio Negro. Der Fluss musste an dieser Stelle mehr als einen halben Kilometer breit sein.

Das trübe, graue Wasser floss träge dahin. Am anderen Ufer war ein Streifen grüner tropischer Vegetation zu sehen. Ich ging zur Vorderseite des Lagerhauses. Keinerlei Anzeichen von Buzz und der Laster war fort. Ich lief wieder zurück zum Dock, dann ging ich, um der Hitze zu entkommen, nach drinnen.

Ich fand etwas Papier und schrieb dem Heim einen Lagebericht. Viel gab es nicht zu erzählen, abgesehen von der Tatsache, dass ich sicher angekommen und Manaus völlig verdreckt war, dass Doc und Bill ein Boot besorgten und die Hitze unvorstellbar war. Ich steckte mein Schreiben in das Gerät und wählte die Faxnummer des Heims. Der Lagebericht war unterwegs. Warum nur hatte Doc nicht dasselbe für mich getan?

Eine Stunde später hörte ich den Laster ankommen und kurz darauf kam Buzz herein, beide Arme voller Lebensmittel. Ich stieg aus dem Etagenbett und half ihm.

»Abendessen«, verkündete er. »Aber bevor wir essen, musst du noch nach draußen kommen.« Er schaute auf die Uhr. »Wir haben nur ein paar Minuten. Vergiss deine Mütze nicht.«

Ich folgte Buzz nach draußen, hinunter zum Dock. Die Sonne ging unter und es wurde langsam ein wenig kühler. Buzz schaute dauernd abwechselnd auf die Uhr und zum Lager.

»Was machen wir hier eigentlich?«

»Fünf Sekunden.«

»Was soll das heißen, fünf –«

»Jetzt!«

Tausende Fledermäuse quollen durch die Tür des Lagerhauses. Die lärmende schwarze Wolke zog direkt über uns hinweg und flog über den Rio Negro. Es dauerte mindestens drei Minuten, bis das Lager leer war.

»Es gibt immer ein paar Nachzügler«, sagte Buzz. »Aber im Großen und Ganzen dürfte es das gewesen sein. Sie kommen morgen in der Früh zurück. Man hält sich besser nicht im Lager auf, während sie rausfliegen oder an ihren Schlafplatz zurückkommen. Dein Dad meint, sie ziehen jede Nacht los, um sich den Bauch mit Obst voll zu schlagen. Irgendwann baue ich mir mal einen Ultraleichtflieger in Fledermausart.«

»Was ist ein Ultraleichtflieger?«

»Das zeige ich dir morgen. Komm rein, wir hauen uns was in die Pfanne.«

Buzz war ein ziemlich guter Koch und für jemanden, der so dürr war wie er, hatte er einen gewaltigen Appetit. Als wir aufgegessen hatten, fragte ich ihn, ob Bill und mein Vater schon einmal stromaufwärts in der Gegend, die auf der Karte eingezeichnet war, gewesen wären.

»Noch nicht«, sagte er.

»Und was haben sie vor?«

»Da musst du sie schon selber fragen. Sie müssten morgen irgendwann zurückkommen.«

Es stand fest, dass er mir nicht verraten würde, was hier los war. Ich half ihm, das Durcheinander in der Küche zu beseitigen. Als wir fertig waren, legte Buzz sich in sein Bett.

»Wir müssen aufstehen, bevor die Fledermäuse morgen früh wieder an ihre Schlafstätte flattern«, erklärte er. »Sieh zu, dass du ein bisschen schläfst.«

Ein paar Minuten später schnarchte er schon. Ich fragte mich, ob er den Spitznamen Buzz deswegen trug.

5

Ich schlief ganz gut, wenn man die ratternde Klimaanlage und das Schnarchen meines Zimmergenossen bedenkt. Buzz war schon eine halbe Stunde vor mir aufgestanden und machte Kaffee und Frühstück.

»Wir machen uns lieber auf die Socken«, rief er von der Küche herüber, die drei Meter von meinem Bett entfernt war. Ich setzte mich auf. »Was haben wir denn vor?«

»Ich brauche jemanden, der mir hilft, den Morpho aus dem Lagerhaus zu schaffen, bevor die Fledermäuse zurück sind.«

»Und was ist ein Morpho?«

»Ein schöner Schmetterling.« Buzz deutete auf die Tätowierung auf seiner Schulter. »Sobald du gegessen hast, gehn wir raus und schauen ihn uns an.«

Ich hatte keine Ahnung, wozu er meine Hilfe bei einem Schmetterling brauchte und was der im Lagerhaus überhaupt zu suchen hatte. Vielleicht war Buzz ja der Insektenspezialist bei dem Projekt. Er hatte etwas von einer Gottesanbeterin. Ich zog mich an und aß. Dann folgte ich Buzz in das düstere Lager. Wir schlängelten uns zwischen den planenbedeckten Stapeln durch.

»Was ist das hier alles für Zeug?«

»Vorräte für die Expedition«, erklärte Buzz. »Wenn Doc und Bill mit einem brauchbaren Boot wiederkommen, wird's ernst.«

Wenn der Laster dem entsprach, was sie »brauchbar« nannten, dann machte ich mir ernsthaft Sorgen, ob sie es sehr weit flussaufwärts schaffen würden. Doc stand normalerweise weitaus bessere Ausrüstung zur Verfügung als das, was ich bis jetzt gesehen hatte.

Buzz blieb an einer besonders großen Plane stehen. »Pack an der Ecke an. Ich schnappe mir die andere Seite, dann ziehen wir sie gemeinsam zurück. Ich kann keine Fledermauskacke auf dem Morpho gebrauchen.«

Ich bekam die Plane zu fassen und gemeinsam zogen wir sie zurück. Darunter stand ein Flugzeug. Oder zumindest etwas, das wie ein Flugzeug aussah.

Die Tragflächen waren aus stahlblauem Gewebe. Vorne befand sich ein kleiner Motor mit Propeller. Direkt hinter dem Motor und etwas unterhalb davon war ein Sitz, der nicht mehr als zwanzig Zentimeter über dem Boden schwebte.

»Der Morpho ist ein Flugzeug?«

»Na ja, dein Dad nennt es ein geflügeltes Gokart. Bill meint, es wäre ein Kinderdrachen mit Motor dran. Aber sie täuschen sich. Es ist ein Ultraleichtflieger. Ich habe ihn nach dem schönsten Schmetterling Brasiliens benannt. Leider bekommt man um Manaus herum kaum Morphofalter zu sehen, weil die Kinder sie fangen und die Flügel an Touristen verkaufen.«

»Und wie funktioniert er?«

»Genauso wie ein Flugzeug! Ich habe ihn selbst entworfen und bin ziemlich stolz darauf. Er trägt einen Piloten und hat eine Reichweite von ungefähr hundert Meilen. Der Benzintank fasst zwanzig Liter, Reisegeschwindigkeit ist fünfundfünfzig Knoten. Mit gefülltem Tank wiegt er 232 Pfund. Der Aluminiumrahmen ist mit Terylen bespannt. Ich stelle den Morpho hier drinnen unter, um ihn vor der

Sonne zu schützen. Wenn er zu viel Sonnenlicht abbekommt, verwandelt sich die Bespannung in blaues Klopapier. Und dann müsste ich plötzlich versuchen, eine Aluleiter in der Luft zu halten.«

»Und wozu brauchen Sie ihn?«

»Wir werden die Jaguare damit aufspüren. Auf dem Boden können wir von Glück sagen, wenn wir ein Funkhalsbandsignal aus ein paar Meilen Entfernung orten. Ich habe eine Reihe von Funkexperimenten mit dem Morpho gemacht und dabei habe ich es geschafft, ein Signal aus fünfzehn Meilen Entfernung aufzufangen! Und außerdem ist die Ortung aus der Luft natürlich viel genauer.«

Ich hatte Doc beim Orten von Elefanten geholfen und war mit den Methoden der Funkortung vertraut. Aber als wir in Kenia gewesen waren, hatten wir ein echtes Flugzeug gehabt, nicht so ein leinenbespanntes Spielzeug.

»Sie sind also auch Biologe?«

»Nee. Ich bin Pilot und baue Ultraleichtflieger. Ich habe mich zu der Expedition gemeldet. Ich wollte schon immer mal sehen, wie sich so ein Ultraleichtflieger in den Tropen verhält. Pack mal mit an. Wir müssen ihn hier rausgeschafft haben, bevor die Fledermäuse zurückkommen.«

Ich fasste eine Tragfläche und Buzz griff sich die andere. Wir zogen den Ultraleichtflieger durch das Tor. Im Tageslicht sah er sogar noch zerbrechlicher aus. Mit dem Flugzeug, in dem ich in Poughkeepsie Flugstunden genommen hatte, war er überhaupt nicht zu vergleichen.

»Setz dich ruhig rein, wenn du magst«, sagte Buzz.

Ich stieg ein – oder genauer gesagt, ich krabbelte hinein. Es gab einen Steuerknüppel und zwei Pedale, aber die sahen eher nach etwas aus, das man bei einem Videospiel in einem Spielsalon findet. Buzz hatte das Cockpit für seine langen Beine konstruiert und ich reichte kaum bis an die Pedale am Boden.

Auf dem Armaturenbrett waren mehrere Instrumente: ein Variometer, das die Geschwindigkeit in vertikaler Richtung misst; ein Höhenmesser, um die Flughöhe zu bestimmen; ein Fahrtmesser; Kompass; Tachometer und eine Temperaturanzeige.

»Was ist das?«, fragte ich.

Mein Blick war auf ein Instrument gefallen, das ich noch nie zuvor gesehen hatte.

»Das ist ein Satelliten-Positionsbestimmungssystem, abgekürzt GPS, für ›globales Positionierungssystem‹.«

»Und wozu ist das gut?«

»Es sagt einem, wo man sich befindet. Wenn man auf den Knopf drückt, wird ein Signal ausgeschickt, das sich am nächstliegenden Satelliten bricht. Damit bestimmst du deine exakte Länge und Breite. Wenn du die kennst, gibst du die Koordinaten des Zielorts ein und das Gerät bestimmt einen Kurs dorthin. Ich werde das GPS allerdings nicht benötigen, um den Heimweg zu finden, weil ich mich nämlich nie so weit vom Basislager entfernen werde. Ich brauche es, um den Aufenthaltsort des Jaguars zu bestimmen. Komm, ich zeige dir die Funkantennen.«

Ich stieg wieder aus und Buzz deutete auf die Spitze einer der Tragflächen.

»Ich habe auf beiden Seiten Antennen in die Tragflächenverstrebungen eingebaut. Durch das Rohr läuft ein Koaxialkabel. Ich kann meinen Empfänger am Armaturenbrett anbringen und mir das Jaguarsignal anhören wie eine CD. Sobald ich mich genau über dem Jaguar befinde, drücke ich den GPS-Knopf und schon habe ich die Koordinaten des Tieres. Das ganze leidige Abschätzen entfällt.«

Buzz war ganz begeistert von dieser Einrichtung, und Doc und Bill ging es sicher nicht anders. Das erleichterte das Aufspüren der Tiere ungemein.

»Außerdem habe ich ein Funksprechgerät, damit ich mit dem Basislager in Verbindung bleiben kann.« Er ging in das Lagerhaus und kam mit einem Helm in der Hand zurück. »Den hab ich von der Luftwaffe. Na los, probier ihn auf.«

Wegen der Hitze hatte ich dazu eigentlich keine große Lust, aber ich stülpte ihn mir trotzdem über, weil Buzz sonst wahrscheinlich enttäuscht gewesen wäre. Um den Eindruck perfekt zu machen, klappte ich den getönten Sichtschutz herunter.

»Alles wird am Helm angeschlossen«, erklärte er. »Und ich kann zwischen dem Funksprechgerät und dem Empfänger für das Ortungssignal hin und her schalten, damit ich das eine oder das andere hören kann.«

Ich nahm den Helm ab und warf einen genaueren Blick auf die Landevorrichtungen. Die bestanden aus zwei kleinen Gummireifen unter dem Rumpf und einem noch kleineren Reifen unter dem Heck.

»Wenn wir erst an unserem Ziel angekommen sind, ersetze ich die Reifen durch Schwimmer. Der einzige Grund, warum ich jetzt Reifen montiert habe, ist, dass er sich damit leichter aus dem Lager ziehen lässt.«

Buzz warf einen kurzen Blick auf die Uhr, dann schaute er über den Fluss. »Hilf mir, den Morpho wegzuschaffen. Unsere pelzigen Freunde müssen jeden Moment zurück sein.«

Wir zogen den Morpho weiter vom Lagerhaus fort. Kurz darauf flogen von jenseits des Flusses die ersten Fledermäuse heran. Es war nicht so dramatisch wie beim Fortfliegen, weil sie sich jetzt mehr verteilten. Aber es war immer noch beeindruckend.

»Bill und dein Dad haben darauf bestanden, dass wir uns mit den Fledermäusen arrangieren, statt sie zu vertreiben.«

Das überraschte mich nicht. Doc dachte immer zuerst an die Tiere, bevor er sich um die eigene Bequemlichkeit kümmerte.

»Ich mach jetzt eine kleine Tour und noch ein paar Tests mit dem Morpho. Du kannst mir helfen, falls du gerade Zeit hast.«

Toller Witz, dachte ich. »Kein Problem.«

»Im Kartenzimmer ist ein Funksprechgerät. Ich möchte ausprobieren, wie weit ich mich entfernen kann, ohne dass der Kontakt abreißt.«

Buzz faltete seinen langen Körper in das Cockpit, legte den Sitzgurt an und stülpte sich dann den Helm über den Kopf. Er verband den Helm mit dem Funkgerät, reckte den Daumen in die Luft und ließ den Motor an. Er wendete den Morpho, zog den Gashebel auf volle Kraft und rollte in Richtung Rio Negro los. Es sah aus, als würde er geradewegs in den Fluss kippen, aber als er am Ufer angekommen war, zog er den Steuerknüppel zurück und der Morpho hob ab.

Eine Weile schaute ich ihm beim Herumfliegen zu. Der Morpho sah wirklich aus wie ein fliegendes Gokart. Während er an Höhe gewann, kreiste Buzz ein paar Mal über dem Fluss.

Ich ging zurück ins Lager. Dort gab es genug Vorräte für mehrere Monate. Doc war nicht einfach nur hier, um Bill »beim Einrichten« zu helfen. Mir hätte klar sein müssen, dass er mit dem Leben in Poughkeepsie, New York, auf keinen Fall zufrieden sein würde. Vielleicht war er ja tatsächlich in der Absicht hierher gekommen, Bill zu helfen, aber jetzt war er Teilnehmer der Expedition. Und was hieß das für mich?

Ich ging ins Kartenzimmer, fand das Funksprechgerät und schaltete es ein.

»Buzz an Basis«, knackte es aus dem Lautsprecher.

Ich knipste das Mikrofon an. »Basis an Buzz.«

»Wie ist der Empfang? Over.«

»Laut und deutlich. Over.«

»Roger. Ich werde mich innerhalb der nächsten Stunde regelmäßig melden. Over.«

»Roger.«

»Ende.«

Die nächste Stunde verbrachte ich damit, die Gerätschaften im Kartenzimmer zu untersuchen und Buzz zu sagen, dass der Empfang gut war.

»Ich mache mich dann wieder auf den Rückweg«, kündigte Buzz per Funk an. »Wir werden bald Besuch bekommen. Dein alter Herr ist ungefähr fünfundvierzig Minuten entfernt.«

»Super!«, rief ich. »Ich meine … roger.«

Ich ging nach draußen, um Buzz bei seinem Landeanflug mit dem Morpho zuzusehen. Er kam niedrig über dem Wasser herein und flog sehr langsam. Als er über dem Ufer war, zog er die Nase ein klein wenig hoch und der Morpho setzte auf wie ein Schmetterling, der auf einer Blume landet.

Buzz triefte vor Schweiß. »Ganz schön heiß im weiten Blau da oben.«

»Und Sie haben Doc gesehen?«

»Ja. Müsste jeden Moment hier einlaufen.«

Ich half ihm, den Morpho zurück ins Lager zu ziehen und wieder mit der Plane abzudecken. Er ging in die Unterkunft, um zu duschen, und ich ging nach draußen an die Anlegestelle, um auf Bill und meinen Vater zu warten. Ungefähr eine halbe Stunde später kam ein altes Boot zum Dock herangetuckert. Bill Brewster stand am Bug und winkte. Er war viel stämmiger als Doc und hatte seinen langen schwarzen Bart trotz der Hitze nicht abrasiert. Doc war im Ruderhaus und steuerte das Boot. Als sie nahe genug herangekommen waren, warf Bill mir ein Seil zu, das ich um einen der Poller band. Mein Vater schaltete die Maschine ab und sprang auf die Anlegestelle. Er trug seine Jeansuniform und hatte sein Haar zu einem Pferdeschwanz gebändigt. Er kam zu mir und umarmte mich.

»Tut mir Leid, dass ich nicht am Flughafen war«, sagte er. »Aber wenn die Pflicht ruft …« Er deutete auf das Boot. Bill gesellte sich zu uns und klopfte mir auf die Schulter.

»Heiß genug für dich, Jake?«

»Zu heiß!«, sagte ich und lächelte. Das Lächeln kam unfreiwillig. Ich wollte ernst und mürrisch dreinschauen, damit Doc wüsste, dass ich mit der Art, wie er mich behandelte, überhaupt nicht einverstanden war. Aber ich freute mich einfach zu sehr, ihn zu sehen.

»Du siehst gut aus, Jake!«, sagte Doc.

»Ein bisschen blass«, ergänzte Bill.

»In Poughkeepsie hat es geschneit.«

»Ich hätte jetzt überhaupt nichts dagegen, mich einen Monat lang in eine Schneewehe zu legen«, meinte Bill.

Doc sah erschöpft aus, aber er war bester Laune. Ich hatte ihn seit Jahren nicht mehr so glücklich erlebt. Entweder war er sehr froh, mich zu sehen, oder er war einfach nur glücklich, wieder in freier Wildbahn zu sein, oder beides.

»Nennt ihr so was vielleicht ein Boot?« Buzz kam von hinten zu uns heran.

»Das ist das Beste, was wir kriegen konnten«, erwiderte Bill.

»Wer ist Käpten?«

»Wir haben eine Münze geworfen«, sagte Bill. »Ich habe verloren.«

»Oder gewonnen«, meinte Doc.

»Guter Einwand! Es gibt da einige unbedeutende technische Schwierigkeiten«, gestand Bill ein. »Aber nichts, womit du nicht fertig werden würdest, Buzz.«

»Ich möchte nur darauf hinweisen, dass ich Luftfahrtingenieur bin und kein Mechaniker.«

Bill lachte. »Ich bitte vielmals um Vergebung. Trotzdem musst du diesen Schrotthaufen für uns in Ordnung bringen.«

»Dann kannst du mir mit dem Werkzeug zur Hand gehen.«

»Ich kann auch helfen«, erbot sich Doc.

»Vergiss es, Doc«, wehrte Buzz ab. »Ich will dich ja nicht beleidigen, aber du bist nicht gerade ein Genie, was das Technische angeht. Bill und ich werden damit schon fertig. Und außerdem musst du Flanna abholen.«

Doc tat so, als wäre er tief getroffen, aber er wusste ebenso gut wie sie, dass er zwei linke Hände hatte, wenn es um Technik ging. Bill und Buzz machten sich auf zum Lagerhaus, um das Werkzeug zu besorgen.

»Wer ist Flanna?«

»Flanna Brenna. Sie ist unsere Botanikerin. Und sie ist wahrscheinlich ein klein wenig sauer. Ich hätte sie gestern abholen sollen. Ich glaube, du wirst sie mögen.«

»Was ist hier eigentlich los, Doc?«

»Ich erzähle dir alles auf dem Weg zu Flanna.«

Der Laster war so laut, dass wir uns kaum gegenseitig verstehen konnten. Doc fuhr aus Manaus heraus und in die Berge. Die Straßen, wenn man sie überhaupt so nennen konnte, waren grauenvoll. Die Vegetation wurde, je weiter wir uns von der Stadt entfernten, immer dichter und grüner.

»Das meiste davon ist Sekundärbestand«, brüllte Doc durch den Lärm. »Primären Regenwald bekommt man erst weit oben am Amazonas zu Gesicht. Und selbst dort muss man erst noch ein paar Meilen weit vom Fluss weg landeinwärts gehen, weil im Uferbereich irgendwann alles schon einmal abgeholzt worden ist.«

»Wozu holzt man es denn ab?«

»Feuerholz, Bauholz, Siedlungen, Öl, Gold... Alles Mögliche! Die machen den Regenwald hier absolut erstklassig nieder.«

Wir waren mindestens zwei Stunden unterwegs, bevor Doc endlich an einer Stelle, die wie eine Sackgasse aussah, anhielt. Wir stiegen aus und sahen uns um. Niemand wartete hier auf uns.

»Das ist schlecht«, sagte er. »Flanna hat es offenbar satt gehabt zu warten und ist wieder zurück in den Wald gegangen. Wir müssen sie suchen. Hast du Lust auf eine kleine Wanderung?«

»Klar.« ich ging zurück zum Laster und nahm einen Schluck Wasser aus der Flasche, die wir mitgebracht hatten. Doc tat das Gleiche.

»Der Pfad ist da drüben.« Er schob sich durch eine Mauer aus dichten grünen Pflanzen. »Es wird freier, wenn wir erst unter dem Blätterdach sind.«

Wir brauchten eine Weile, um uns durch das Pflanzengestrüpp zu kämpfen. Doc ging voraus. Soweit ich das beurteilen konnte, sah es nicht so aus, als würde er einem Pfad folgen, aber ich war überzeugt, dass er wusste, was er tat. Er mochte zwar die Orientierung verlieren, wenn er ein Auto fuhr oder zu Fuß in der Stadt unterwegs war, aber sobald man ihn irgendwo am Ende der Welt absetzte, fand er sich zurecht wie ein Tier, das schon sein gesamtes Leben hier verbracht hatte.

Als wir die untere Pflanzenschicht hinter uns gelassen hatten, blieben wir stehen und schauten nach oben. Wir waren von riesigen Bäumen umgeben. Um ihre massigen Stämme wickelten sich dicke Schlingpflanzen. Die niedrigsten Äste befanden sich mindestens dreißig Meter über uns. Pfeile aus Sonnenlicht kämpften sich ihren Weg durch das Blätterdach zum Boden, der viel freier war, als ich erwartet hatte. Der Wald hallte wieder von den Lauten von Tieren, die ich nicht sehen konnte.

»Es ist wie eine Kathedrale«, flüsterte ich.

»Das ist eine gute Beschreibung. Dies ist das einzige unberührte Stück Regenwald im Umkreis von hundert Meilen. Relativ unberührt – die Leute fangen an die äußersten Ränder abzuholzen. Es ist schwer, sie fern zu halten.«

Wir setzten uns wieder in Bewegung und gingen weiter bis an einen kleinen Bach. Doc ließ sich auf einem vermodernden Baumstamm nieder, der mit einem dicken Polster aus Moos überzogen war. Ich setzte mich neben ihn.

»Ich sollte dir wohl langsam erklären, was hier eigentlich los ist«, sagte er.

Ich nickte. Er schnürte seine Schuhe auf, streifte die Socken ab und ließ die Beine ins Wasser baumeln.

»Ich weiß nicht recht, wo ich anfangen soll.«

»Warum erzählst du mir nicht erst einmal von dem Jaguarprojekt?«, schlug ich vor, denn ich wollte es ihm so leicht wie möglich machen.

»Es ist Bills Projekt, nicht meins. Ich bin ursprünglich nur hierher gekommen, um ihm zu helfen, es aufzubauen. Inzwischen stecke ich allerdings etwas tiefer in der Sache drin.«

Übersetzt hieß das, er war hier wesentlich glücklicher als in Poughkeepsie und er wollte nicht wieder zurück.

»Bill versucht seit über zwanzig Jahren, ein Jaguarreservat einzurichten. Und jetzt sieht es so aus, als ob er es endlich schaffen würde. Nur ein paar Hürden muss er noch nehmen.«

»Als da wären?«

»Kurz gefasst sieht es so aus: Da ist ein reicher Industrieller aus den Staaten, der vom Staat Brasilien als Abschlag für die Schulden, die der Staat bei ihm hat, fast eine halbe Million Hektar Land bekommt. Er heißt Woolcott.« Den Namen hatte ich schon einmal gehört. Er besaß in den Staaten eine Ölgesellschaft oder so etwas.

»Wie dem auch sei, Woolcott liebt Jaguare fast so sehr, wie er das Geld liebt. Der Staat lässt ihm die Wahl, wo er seine halbe Million Hektar Land haben will. Er hat ein Dutzend verschiedene Möglichkeiten und zwei Monate Zeit, um seine endgültige Wahl zu treffen, welches Stück Land er will – und vor allem: was er mit dem Land machen will. Er kann entweder ein Reservat einrichten und die Schulden abschreiben oder aber er kann aus der halben Million Hektar alles herausquetschen, was der Boden hergibt, und eine riesige Müllhalde hinterlassen. Logischerweise reden ihm seine Berater zu, sich für die Müllhalde zu entscheiden. So bekäme er all sein Geld zurück, wahrscheinlich sogar eine ganze Menge mehr.

Aber Woolcott wird langsam alt und er braucht nicht noch mehr Geld. Und da taucht nun Bill auf. Bill hat ihm die Sache mit dem Jaguarreservat vorgeschlagen. Woolcott gefiel das. Es gefiel ihm sogar so gut, dass er Bill aufgefordert hat, auf der Stelle eines der vorgeschlagenen Landstücke auszusuchen. Das tat Bill.«

»Und wo ist dann das Problem?«

»Bill hat sich für eine Gegend entschieden, ohne zu wissen, ob sie ein passender Lebensraum für Jaguare ist. Und die Abmachung lautet, er muss innerhalb von zwei Monaten sinnvolle Fortschritte vorweisen können, weil Woolcott sich andernfalls für einen der anderen Landstriche entscheidet und den dann ausbeutet.«

»Und wie definiert er ›sinnvolle Fortschritte‹?«

»Woolcott hat sich in dieser Beziehung nicht so recht festgelegt. Wir wissen, dass er verlangt, dass sich auf dem Areal Jaguare mit Funkhalsbändern befinden und dass genügend Messdaten vorliegen, um zu beweisen, dass auf diesem Boden ein überlebensfähiges Jaguarreservat eingerichtet werden kann. Mit anderen Worten, das Reservat muss in zwei Monaten fix und fertig eingerichtet sein.«

Ich dachte an das furchtbare Lagerhaus, in dem sie festsaßen, an den schrottreifen Laster, den sie fuhren, und an das alte Boot, mit dem sie den Amazonas hinauffahren wollten.

»Und wer zahlt das alles?«

»Bill. Flanna und ich haben auch etwas Geld hineingesteckt. Unsere finanziellen Möglichkeiten sind ziemlich begrenzt.«

»Aber warum zahlt nicht Woolcott dafür? Er könnte wahrscheinlich allein mit dem, was er in der Hosentasche mit sich rumträgt, die komplette Expedition finanzieren.«

»Er sagt, er kommt uns ohnehin so weit entgegen, wie seine Berater es zulassen. Wenn wir Fortschritte machen, wird er nicht nur das Land zur Verfügung stellen, sondern auch eine Stiftung einrichten, die für den Unterhalt des Reservats aufkommt.«

»Dann ist das hier also so eine Art Probe, oder was?«

»Das ist eine Möglichkeit, es zu sehen. Woolcott ist ziemlich exzentrisch und impulsiv.«

Genau wie du, dachte ich. »Und was wird dann aus mir?«

Doc schaute weg. Ein schlechtes Zeichen. Ich spürte, wie das Fallbeil in den geschmierten Laufschienen auf meinen Hals zusauste.

»Ich bin nicht ganz sicher«, sagte er. »Ich meine, ich habe lange darüber nachgedacht. Und deswegen wollte ich ja auch, dass du hierher kommst. Ich wollte von Mann zu Mann mit dir reden.«

Dann konnten wir ja genauso gut zur Sache kommen,

dachte ich. Ich atmete tief durch. »Ich finde, ich sollte hier bei dir bleiben«, sagte ich.

»Ich weiß.« Kein Blickkontakt. Das lief nicht so, wie ich es mir wünschte. »Aber das ist im Augenblick einfach nicht der richtige Ort für dich. Wir wissen nicht genau, was stromaufwärts auf uns wartet, und es könnte gefährlich werden.«

»Ich bin auf der Suche nach dir durch halb Kenia gelaufen! Ich denke, ich habe bewiesen, dass ich auf mich aufpassen kann.«

»In Kenia hättest du umkommen können! Ich habe schon genug Sorgen, auch ohne dass ich mich um deine Sicherheit kümmern muss. Ganz zu schweigen von der Tatsache, dass du zur Schule gehen musst.«

Ich hatte gewusst, dass er diese Ausrede bringen würde. »Doc, ich kann nicht in einem Altenwohnheim bleiben, bis ich aufs College gehe. Das funktioniert nicht.«

»Ich weiß, ich weiß... Ich habe mich um ein paar Sachen gekümmert. Du musst es nur bis zum Ende des Schuljahres dort aushalten; es gibt da ein Ferienlager in Colorado, das –«

»Wovon redest du da eigentlich?«, schrie ich und verlor völlig die Beherrschung. »Ich will nicht in irgendein Ferienlager. Ich will bei dir sein! Wie lange wirst du hier bleiben?«

»Ich bin hier, solange es eben dauert«, sagte Doc leise.

»Was soll das heißen?«

»Ich weiß es nicht.«

»Was passiert im Herbst, nach diesem so genannten Ferienlager?«

»Es gibt da ein paar gute Internate...«

Ich stand von dem Baumstamm auf und lief weg. Entweder das oder ich hätte angefangen vor ihm zu weinen. Wie konnte er mir das nur antun, ohne wenigstens vorher zu fragen? Was war mit meinen Wünschen? Ich hörte, wie Doc mich rief, aber ich ging weiter. Ich würde wahrscheinlich die erste Runde verlieren, aber ich nahm an, dass ich es schaffen würde, zumindest den Sommer über hier bei ihm zu bleiben. Immerhin redete er davon, dass wir ein bis zwei Jahre getrennt sein würden! Er war längst nicht mehr dabei, einem alten Freund unter die Arme zu greifen. Das war inzwischen genauso sehr sein Projekt wie das von Bill.

Docs Stimme wurde immer leiser. Wahrscheinlich wünschte er sich inzwischen, er hätte nicht Socken und Schuhe ausgezogen. Dass er sie wieder anziehen musste, verschaffte mir einen großen Vorsprung. Ich stieß auf etwas, das wie ein Pfad aussah, und folgte ihm. Ich hatte keine Ahnung, wo ich hinging, und es interessierte mich auch gar nicht. Ohne Vorwarnung tauchte vor mir etwas auf. Etwas Großes. Ich konnte nicht deutlich sehen, weil meine Augen voller Tränen waren. Ich stolperte zurück, fiel auf den Hintern, wälzte mich herum und fing an, so schnell ich konnte, davonzukrabbeln, den Weg zurück, den ich gekommen war. Es musste irgendein Tier sein. Das würde Doc noch Leid tun.

»Es tut mir Leid … Es tut mir Leid … Ich dachte, du wärst Bob.«

Ich hörte auf zu krabbeln. Wilde Tiere entschuldigen sich in der Regel nicht, bevor sie angreifen. Bob? Es war eine weibliche Stimme. Ich drehte mich um und schaute auf. Rote Locken lugten unter einem gelben Helm hervor und die Frau schnallte eilig den Klettergurt ab, den sie um die Hüfte trug. An dem Klettergurt befand sich ein Seil, das irgendwo oben im Blätterdach vertäut war. Als sie sich befreit hatte, lief sie zu mir herüber.

»Es tut mir Leid ...«

Ich stand auf und klopfte mir den Schmutz ab. »Wer ist Bob?«

»Bist du denn nicht Jake?«

Ich nickte.

»Ich meinte deinen Vater.«

Mein Vater, Dr. Robert Lansa, hasste es, Bob genannt zu werden. Das wusste jeder. Deswegen bestand er auch auf dem Spitznamen Doc. Als meine Ma noch lebte, durfte nicht einmal sie ihn Bob nennen.

Ich starrte diese Frau an. Sie war ungefähr so groß wie ich und hatte grüne Augen. Sie trug Khaki-Shorts, einen grünen, ärmellosen Gymnastikanzug und schwere Kletterschuhe. Ihr Körper war dünn, aber athletisch. Mit anderen Worten, sie war schön.

»Ich bin Flanna Brenna«, sagte sie.

»Die Botanikerin.«

»Genau die.«

Ich hatte so das Gefühl, dass sie mehr war als nur die Botanikerin. Ich hörte Doc hinter mir den Pfad herauflaufen. Als er bei uns war, blieb er, etwas außer Atem, stehen. Flanna strahlte, als sie ihn sah. Er erwiderte ihr Lächeln. Sie war definitiv mehr als die Botanikerin. Ich schätze, Doc hatte einfach vergessen, mir von diesem Teil der Expedition zu erzählen.

»Ich fürchte, ich habe deinen Sohn beinahe zu Tode erschreckt, Bob. Ich dachte, das wärst du gewesen. Aus dreißig Metern Höhe seht ihr völlig gleich aus.«

»Jake, das ist Dr. Flanna Brenna.«

»Wir haben uns bereits miteinander bekannt gemacht, *Bob.*«

6

Flanna führte uns den Pfad entlang zu ihrem Lager, das sich, wie sich herausstellte, in über vierzig Metern Höhe in den Baumwipfeln befand.

»Ich lass nur eben die Ausrüstung runter.« Sie streifte sich ihre Gurte um, befestigte ein Seil, das von einem Baum herabhing, daran und begann den Aufstieg, wobei sie eine Art Feststellklemme benutzte, die sie in Position hielt, bis sie sich wieder ein Stück höher hinaufgezogen hatte. Bei ihr sah das aus, als wäre das nicht schwerer, als eine Leiter hinaufzuklettern, aber ich war sicher, dieser Eindruck täuschte.

Ich konnte sehen, dass Doc mir die Situation erklären wollte, aber ich war so wütend, dass ich ihn nicht einmal ansah. Ich war überzeugt, dass Flanna der Hauptgrund dafür war, dass er mich nicht bei sich in Brasilien haben wollte. Es hatte nur sehr wenig damit zu tun, wie gefährlich es hier war.

Flanna kletterte zwischen den Baumkronen herum wie ein Affe. Trotz meiner Gefühle ihr gegenüber war ich von ihren Fähigkeiten ziemlich beeindruckt. Sie packte ihre Ausrüstung zusammen und ließ sie päckchenweise zu uns herab.

»Flanna hat über das Ökosystem der Tropen promoviert«, erklärte Doc. »Sie ist seit drei Jahren hier und studiert die medizinische Verwertbarkeit von Pflanzen aus dem Regenwald. Sie hatte ein Stipendium von einem großen Pharmakonzern aus den Staaten, aber das lief vor ungefähr drei Wochen aus. Also hat sie sich mit uns zusammengetan.«

Ich sagte nichts dazu. Flanna musste gleich, nachdem sie ihren Doktor gemacht hatte, hierher gekommen sein. Sie war mit Sicherheit unter dreißig, was hieß, dass sie etwa vierzehn oder fünfzehn Jahre jünger war als Doc. Ich hatte gelesen, dass Pflanzen aus dem Regenwald in der Medizin eingesetzt wurden. Viele der lebensrettenden Medikamente, die wir verwenden, stammen ursprünglich von Pflanzen der tropischen Regenwälder. Es ging nur darum, die richtige Pflanze zu finden, bevor sie den Rodungen zum Opfer fiel und ausstarb.

»Jake, ich hätte dir sagen sollen –«

Ich unterbrach ihn. »Ich will jetzt nicht darüber reden.«

»In Ordnung«, sagte er leise.

»Das war's!«, brüllte Flanna zu uns herunter. Ein paar Sekunden später fiel sie aus dem Blätterdach wie eine Spinne am Ende ihres Seidenfadens. Jeder von uns nahm einen Teil der Ausrüstung, dann verließen wir den Wald. Ich ging voran, damit ich mit keinem von beiden reden musste. Ich war wütend und verwirrt. Ich brauchte Zeit zum Nachdenken – viel Zeit. Es war schon fast dunkel, als wir wieder zum Laster kamen. Wir verstauten Flannas Sachen hinten und stiegen in die Kabine. Flanna saß zwischen mir und Bob.

Als wir wieder zum Lagerhaus kamen, trafen wir Bill und Buzz beim Biertrinken und Kartenspielen am Küchentisch an.

»Wie ich sehe, schuftet die Crew schwer«, sagte Doc.

»Für die Maschine brauchen wir ein paar Ersatzteile, die wir vor morgen nicht mehr bekommen«, erklärte Bill. »Hol dir einen Stuhl, Doc.«

»Heute nicht.«

»Flanna?«

»Nein, danke.«

»Bleibst also nur noch du, Jake. Irgendwelche Neigungen, bei unserem freundschaftlichen kleinen Spielchen einzusteigen?«

Ich war nicht in der Stimmung, Karten zu spielen und ihnen zuzusehen, denn es erinnerte mich an mein Leben mit den Insassen drüben im Heim, das ich wohl auch in Zukunft führen würde. Ich schüttelte den Kopf.

»Flanna und ich gehen in die Stadt und besorgen was zu essen«, sagte Doc. »Will irgendjemand mitkommen?« Er schaute mich an.

»Ich werde duschen und zu Bett gehen«, erwiderte ich. Ich holte mir saubere Wäsche und ging ins Bad, um kurz zu duschen. Als ich zurückkam, spielten Bill und Buzz immer noch Karten und nahmen kaum Notiz von mir. Flanna und Doc waren weg. Ich ging nach draußen und schlenderte zum Fluss hinunter.

Es war ein schöner Abend, trotz der Schwüle. Schwere Wolken waren aufgezogen und zu beiden Seiten des Flusses zuckten Blitze.

Ich dachte daran, einen weiteren Lagebericht an das Heim zu schicken:

Heute Nachmittag hat mein Vater mir eröffnet, dass er mich in ein Ferienlager schickt. Im Herbst werde ich auf ein Internat gehen. Ich hatte das Vergnügen, seine neue Freundin, Flanna Brenna, kennen zu lernen. Sie ist eine Wucht und jung genug, um meine Schwester zu sein. Ich hoffe, bei euch ist alles in Ordnung. Hier zumindest könnte es gar nicht besser sein! Jake

Ich versuchte mir über meine Gefühle klar zu werden. Als meine Ma starb, waren sie und Doc schon einige Jahre geschieden gewesen. Sie hatte wieder geheiratet, sobald die Scheidung durch war. Der Kerl hieß Sam und er war ein echter Trottel, aber er und Ma kamen ziemlich gut miteinander aus. Ihr zuliebe ertrug ich ihn.

Doc und Ma hatten sich nur selten gut verstanden. Sie liebte das Leben in New York. Doc hasste Großstädte – ganz besonders New York. Sie war Professorin und genoss die Atmosphäre an der Universität. Doc fand, dass die Uni-Leute die langweiligsten Schwafler der Welt waren. Seine Vorstellung von Glück bestand darin, irgendwo am Ende der Welt herumzustreunen und wilde Tiere zu beobachten, oder wie Ma sagte: »Er ist jemand, der die Wildnis braucht und den Mond anheulen muss.«

Es machte mir nichts aus, dass Doc eine Freundin hatte. Flanna war offensichtlich intelligent und unabhängig, und sie konnte besser und schneller ein Seil hinaufklettern, als ich es je zuvor gesehen hatte. Was mich störte, war, dass er mir nichts von ihr gesagt hatte. Nach unseren Erlebnissen in Kenia hatte ich gedacht, er wäre mein Partner geworden. Ich hatte gedacht, er hätte aufgehört ein Elternteil zu sein. Das war einer der Gründe dafür, dass er darauf bestand, dass ich ihn Doc nannte und nicht Dad. Ich musste mich getäuscht haben.

Eltern trennen sich. Familien trennen sich. Aber Partner bleiben zusammen. Dachte ich wenigstens. Ein Partner sollte einem zumindest sagen, wenn er eine Freundin hat. Doc benahm sich wie ein Erziehungsberechtigter, der kein Erziehungsberechtigter sein wollte.

Und wie verhielt ich mich? Ich wollte über das alles nicht nachdenken. Ich wollte auch nicht mehr in Manaus sein. Der Gedanke an fünf weitere Tage, in denen Doc und Flanna sehnsuchtsvolle Blicke tauschten, war unerträglich. Fünf weitere Tage, an denen ich wusste, dass ich in fünf weiteren Tagen wieder im Heim wäre.

Doc hatte die nächsten paar Jahre meines Lebens sauber für mich verplant. Drei Monate Ferienlager mit anderen Kindern, deren Eltern sie ebenfalls nicht in der Nähe haben wollten. Dann für neun Monate ab ins Internat, mit Kindern, denen es wieder nicht anders ging.

Wenn Doc mich nicht bei sich haben wollte, dann war es wohl auch egal, wie ich die nächsten paar Jahre verbrachte. Morgen früh würde ich ihm sagen, dass ich den nächsten Flug zurück nehmen wollte. Sinnlos, länger hier herumzuhängen.

Flanna schlief auf einem Feldbett im Kartenzimmer. Wir Übrigen schliefen in den Etagenbetten. Das heißt, ich habe eigentlich nicht geschlafen. Den größten Teil der Nacht verbrachte ich damit, auf meinem Bett zu liegen und den anderen beim Schlafen zuzuhören.

Ich war richtig dankbar, als Bill schließlich aus dem Bett stolperte und bei dem Versuch, Kaffee aufzusetzen, lautstark in der Küche herumpolterte. Ich stand auf und half ihm. Buzz und Doc ließen nicht lange auf sich warten.

Flanna stieß zu uns, als Bill gerade dabei war, den Kaffee auszuschenken. Sie war die Einzige, die relativ erholt aussah. Buzz und Bill litten unter den Folgen des Pokerspiels und Doc sah aus, als hätte er in der Nacht genauso wenig geschlafen wie ich.

»Und was ist nun mit dem Boot los?«, fragte Doc.

»Ich schätze, es liegt an den Benzinleitungen«, sagte Buzz. »Wir nehmen sie heute Vormittag noch auseinander, sobald dieser Kaffee Wirkung zeigt.«

»Wann werden wir abreisen können?«, fragte Flanna.

»Sobald das Boot wieder in Schuss ist, können wir ablegen.«

»Wir warten noch bis nächsten Sonntag«, sagte Doc mit einem Seitenblick auf mich.

»Ihr müsst nicht wegen mir warten«, warf ich ein. »Wenn ihr vorher reisefertig seid –«

»Wir warten«, unterbrach Bill.

»Ich wollte eigentlich probieren, einen früheren Flug nach Hause zu kriegen«, sagte ich. Ich schaute Doc an. »Ich sehe keinen Grund, warum ich noch länger hier bleiben sollte.« Das leerte die Küche ziemlich rapide. Flanna fiel ein, dass sie noch etwas Wichtiges im Kartenzimmer zu erledigen hatte. Buzz und Bill schnappten sich ihre Kaffeetassen, um sich am Bootsmotor zu schaffen zu machen. Ich glaube, Doc wollte am liebsten auch irgendwohin verschwinden, aber er hatte keine Wahl.

»Ich weiß, dass du unzufrieden mit mir bist, Jake –«

»Als du hierher gekommen bist, wusstest du, dass du nicht wieder nach Hause kommen würdest«, unterbrach ich ihn. »Du hast mich in ein Altersheim gesteckt, verdammt noch mal! Kein Brief, kein Anruf. Du hast eine

Freundin, die nicht viel älter ist als ich, und mit der schipperst du den Amazonas rauf, während du mich ins Ferienlager und aufs Internat schickst! Ich bin nicht unzufrieden, Doc, ich bin wütend!«

Doc warf einen Blick auf die Tür zum Kartenzimmer. »Vielleicht sollten wir nach draußen gehen«, sagte er leise.

Ich wollte ihm schon einen anderen Ort vorschlagen, an den er ganz alleine fahren könnte, aber stattdessen stand ich auf und ging nach draußen. Doc war direkt hinter mir. Wir gingen durch das hintere Tor des Lagerhauses hinaus. Bill war gerade dabei, ins Boot zu steigen, einen Benzinkanister in der einen und eine Kaffeetasse in der anderen Hand. Buzz war ungefähr sechs Meter hinter ihm und trug eine schwere Werkzeugkiste.

»Also gut«, sagte ich. »Wir sind draußen. Wohin willst du gehen?«

Eine plötzliche Explosion riss uns beide zu Boden. Brennende Trümmer donnerten gegen das Metall des Lagers. Ich lag und rang nach Luft, während die Fledermäuse durch das offene Tor ins Freie drängten.

Als ich wieder zu Atem gekommen war und wenigstens einen Teil meiner fünf Sinne wieder beisammen hatte, schaute ich auf, um zu sehen, ob mit Doc alles in Ordnung war. Er rannte auf das Boot zu, das in schwarzen Qualm gehüllt war. Vor dem Boot lag ein Mensch auf dem Boden – er brannte! Ich rannte Doc hinterher. Ich kam gerade rechtzeitig, um zu sehen, dass sein Hemd Feuer fing, als er versuchte demjenigen zu helfen, der dort auf dem Boden lag. Ich riss mir das Hemd vom Leib und schlang es um Doc, um die Flammen zu ersticken. Für den anderen kam jede Hilfe zu spät.

Ich hatte Angst, dass es zu einer weiteren Explosion kommen könnte. »Los, Doc! Wir müssen hier weg!« Ich zerrte ihn vom Boot fort.

»Wer war das?«, schrie er. »Wer war das?«

Ich wusste es nicht.

7

Es war Bill Brewster.

Buzz war irgendwie aus den Trümmern herausgeschleudert worden. Sein Bein hatte einen komplizierten Bruch, aber er trug keine Verbrennungen davon. Doc bekam an der rechten Hand und am Unterarm überall hässliche Brandblasen. Mir fehlte nichts. Flanna und ich versuchten Doc zu beruhigen, während wir auf den Krankenwagen und die Feuerwehr warteten, was eine Ewigkeit zu dauern schien.

Flanna war sehr ruhig. Sie half mir, Doc in die kühle Küche zu bringen, und sie überredete ihn dazu, sich auf das Bett zu legen und sich auszuruhen. Dann gingen wir mit einer Trage, die dazu gedacht war, betäubte Jaguare zu transportieren, wieder nach draußen. Wir hievten Buzz darauf und brachten ihn hinein. Flanna sagte mir, ich solle es Buzz so angenehm wie möglich machen. Sie selbst kümmerte sich um Docs Hand und Unterarm, die sie mit einer selbst gemischten Salbe bestrich. Als sie damit fertig war, schnitt sie Buzz' Hosenbein ab. Die Haut war furchtbar verfärbt und das Bein befand sich in einer völlig unnatürlichen, verdrehten Lage.

Buzz hob den Kopf, um den Schaden zu begutachten. »Sieht aus, als wär mir ein Spant gerissen«, sagte er und verlor das Bewusstsein.

»Ich fürchte, in meiner Trickkiste ist nichts Passendes für ein gebrochenes Bein dabei«, meinte Flanna. »Wir werden auf den Krankenwagen warten müssen.«

Erst als Flanna alles, was ihr möglich war, getan hatte, brach sie zusammen. Sie hielt Docs gesunde Hand und weinte lautlos.

Draußen fuhr der Krankenwagen vor. Ich lief hinaus und zeigte dem Fahrer, wo wir waren. Er und sein Partner brachten eine Trage herein. Flanna bellte sie auf Portugiesisch an und einer von ihnen zuckte die Schultern.

»Sie haben nur einen Krankenwagen geschickt«, erklärte sie. »Wir werden deinen Vater im Laster transportieren, falls ich herausfinde, wie man ihn anlässt.«

»Das kann ich dir zeigen«, sagte Doc schwach, dann fügte er hinzu: »Jake, du bleibst besser hier.«

Ich wollte schon protestieren, als Flanna mir eine Hand auf die Schulter legte. »Er hat Recht, Jake. Wir können unsere Ausrüstung nicht unbeaufsichtigt zurücklassen. Jeder Gauner in Manaus wird wissen, dass wir im Krankenhaus sind.«

»In Ordnung«, sagte ich.

»Ich rufe dich vom Krankenhaus an und sage dir, wie es ihnen geht«, versprach Flanna.

Sie legten Buzz auf die Trage und rollten ihn zur Tür hinaus. Flanna und ich halfen Doc aus seinem Etagenbett. Er hatte große Schmerzen. Flanna schaffte es, den Laster anzulassen, während ich Doc auf den Beifahrersitz bugsierte.

»Es geht schon«, sagte er.

Ich sah ihnen nach, als sie davonfuhren. Das Boot brannte immer noch. Bill Brewsters Leiche lag hinter einem schwarzen Rauchschleier verborgen. Ich konnte nicht glauben, dass er tot war.

Plötzlich trat ein Mann aus dem Schatten des Lagerhauses.

»Kann ich Ihnen helfen?«, fragte ich.

Er starrte auf das brennende Boot. »Sieht mir eher so aus, als ob du derjenige wärst, der Hilfe brauchen kann.«

Er hörte sich amerikanisch an.

»Was machen Sie hier?«

»Ich habe den Rauch gesehen.«

Er hatte silbergraues Haar. Es war so kurz geschnitten, dass es aussah, als wäre es auf seinen Kopf aufgemalt. Seine Augen waren hellblau und das Gesicht sonnengebräunt und zerfurcht, als hätte er schon viele Jahre in den Tropen verbracht. Er trug schwarze Jeans, weiße Tennisschuhe und ein gestärktes weißes Hemd. Ich schätzte ihn auf Ende fünfzig, aber er schien sehr gut in Form zu sein.

»Was ist hier passiert?«, fragte er.

»Wer sind Sie eigentlich?«

»Ich heiße Jay Silver, aber du kannst mich Silver nennen. Du musst der Sohn von Doc sein.«

»Jake«, sagte ich. »Sie kennen meinen Vater?«

»Nicht sehr gut«, gab er zu. »Wir sind uns nur einmal begegnet. Also, was ist passiert?«

Ich hatte keine Ahnung, was passiert war. Und ich war nicht in der Stimmung für eine Unterhaltung mit einem Wildfremden. Ich machte mir Sorgen wegen Docs Verletzungen und sein bester Freund war gerade ums Leben gekommen. Was wollte dieser Kerl überhaupt?

»Das Boot ist in die Luft geflogen«, sagte ich. »Bill Brewster ist tot.«

»Und dein Dad?«

»Er hat sich die Hand verbrannt.«

»Und der Lange? Ich kann mir den Namen nicht merken …«

»Buzz«, half ich aus. »Er hat sich das Bein gebrochen. Sie sind im Krankenhaus.«

»Und du hast keine Ahnung, wie das passieren konnte?«

Ich schüttelte den Kopf. »Bill und Buzz wollten gerade etwas am Leitungssystem in Ordnung bringen. Aber sie sind nicht einmal bis zum Boot gekommen, da ist es schon explodiert.«

»Haben sie vorher schon etwas an den Benzinleitungen gemacht?«

»Ich weiß nicht. Gestern haben sie an der Maschine gearbeitet. Warum?«

»Sachen fliegen normalerweise nicht einfach so in die Luft. Ich bin nur neugierig, wie das passieren konnte.«

Ein Feuerwehrwagen fuhr heran, gefolgt von zwei Polizeiautos und einem Transporter. Die Feuerwehrleute stiegen aus, warfen einen Blick auf den Brand, dann stiegen sie wieder ein und blieben dort sitzen.

»Was machen die da?«

»Die Kabine hat eine Klimaanlage«, erklärte Silver. »Ich denke mir, die werden warten, bis das Boot von selbst ausgebrannt ist. Es ist zu spät, um noch etwas zu retten.«

Ein uniformierter Polizist stieg aus einem der Autos aus und kam auf uns zu. Er grüßte Silver mit einem Kopfnicken, als würde er ihn kennen, dann fing er an auf mich einzuplappern.

»Ich kümmere mich schon darum«, sagte Silver und erklärte, in offenbar perfektem Portugiesisch, die ganze Angelegenheit.

Der Polizist zog einen Block hervor und machte ein paar Notizen. Als Silver fertig war, stellte der Polizist ihm einige Fragen, dann salutierte er und ging zum Auto zurück. Jetzt war es an mir zu fragen, was los war.

»Sie werden ins Krankenhaus fahren und mit deinem Vater reden.«

Eines der Polizeiautos fuhr ab.

»Und was ist mit Bill?« Sie konnten ihn doch nicht einfach dort liegen lassen.

»Die Feuerwehrleute werden sich um ihn kümmern, sobald das Feuer ausgebrannt ist.«

Ich hörte das Telefon läuten und rannte hinein. Es war Flanna. Sie sagte, man würde Vaters Hand verbinden und Buzz das Bein eingipsen. Sie nahm an, dass sie am späteren Nachmittag wieder im Lager sein würden. Ich dankte ihr und ging wieder nach draußen.

Silver war verschwunden.

Ich konnte nicht hinsehen, als die Feuerwehrleute den Reißverschluss des schwarzen Plastiksacks mit dem, was von Bill noch übrig war, zuzogen und ihn in den Transporter brachten. Ich hatte Bill Brewster mein ganzes Leben lang gekannt. Er und Doc waren zusammen zur Schule gegangen, hatten gemeinsam im Kuratorium der Zoologischen Gesellschaft von New York gearbeitet und als Partner überall auf der Welt Forschungen in der Wildnis betrieben. Jetzt war er tot.

Ich sah zu, wie die Polizisten eine Weile im Wrack herumstocherten und dann verschwanden, ohne den Versuch zu unternehmen, mir noch irgendwelche Fragen zu stellen. Das Feuerwehrauto und der Transporter fuhren gleich nach ihnen ab.

Ich ging hinunter zum Wasser. Vom Boot war nichts weiter übrig geblieben als versengtes Holz. Die Anlegestelle existierte auch nicht mehr.

Bills Tod würde ein harter Schlag für Doc sein. Niemand stand meinem Vater näher als Bill Brewster. Ich hatte keine Ahnung, was aus der Expedition werden würde, jetzt, wo er tot war. Und dann waren da noch die Verletzungen von Doc und Buzz.

Das Einzige, womit ich Doc helfen konnte, war, zu tun, was immer er von mir verlangte. Wenn das hieß, ins Heim zurückzukehren, im Sommer Ferienkurse zu machen oder sogar ins Internat zu gehen, dann würde ich das tun. Und ich würde versuchen es fröhlich zu tun, ohne Gemecker.

Ich zog das hintere Tor weit auf, damit die Fledermäuse zurückfliegen konnten, wenn sie wollten.

Flanna brachte die anderen erst spät am Abend mit dem alten Laster zurück. Doc trug eine Schlinge und sein Arm war mit dicken Verbänden umhüllt. Das Bein von Buzz war eingegipst und man hatte ihm Krücken gegeben, damit er sich fortbewegen konnte. Ich half Flanna, die beiden ins Lagerhaus zu bringen. Sie legten sich sofort in ihre Betten und schliefen ohne ein Wort ein.

»Sie haben Schmerzmittel bekommen«, sagte Flanna erschöpft. »Ist mit dir alles in Ordnung?«

»Ich denke schon«, erwiderte ich, aber ich war nicht sicher. »Hat die Polizei herausbekommen, was passiert ist?«

»Sie meinen, es war ein Unfall. Irgendwas mit einem

Leck in der Leitung. Wir hatten Glück, dass es nicht erst auf der Reise stromaufwärts passiert ist.«

Für Bill war es kein Glück, dachte ich.

»Ich glaube, ich werde mich auch hinlegen«, sagte Flanna müde. »Gute Nacht, Jake.«

»Gute Nacht.«

8

Am nächsten Morgen erwachte ich als Erster. Ich stand leise auf und ging nach draußen, damit ich niemanden störte. Die Fledermäuse waren noch nicht wieder zurückgekehrt. Ich lief ungefähr eine Stunde lang ziellos herum, dann ging ich wieder hinein, um nachzusehen, ob schon jemand wach wäre.

Doc hockte mit einer Tasse Kaffee in seiner gesunden Hand auf dem Etagenbett. Buzz saß am Küchentisch, das Gipsbein auf einen Stuhl gestützt. Flanna machte das Frühstück. Die Stimmung war äußerst gedrückt. Ich half Flanna, das Frühstück zu machen, und brachte Doc und Buzz Teller. Sie waren beide nicht sehr hungrig.

»Die große Frage lautet jetzt wohl: Was sollen wir machen?«, sagte Doc.

Niemand wusste eine Antwort darauf.

Doc fuhr fort: »Ich werde Bills Leiche in die Staaten zurückbringen.«

»Das bedeutet also das Aus für die Expedition«, sagte Buzz.

»Genau«, erwiderte Doc. »Wir haben kein Boot und wir haben weder das Geld noch die Zeit, ein neues aufzutreiben. Und jetzt, wo Bill nicht mehr am Leben ist, was hätte es denn überhaupt noch für einen Sinn?«

Auch darauf wusste niemand eine Antwort.

Aus dem Lager war ein lautes Kreischen zu hören, das uns alle aufschreckte. Bevor ich aufstehen konnte, um nachzusehen, woher es stammte, klopfte es an der Tür. Ich machte auf. Es war Jay Silver. Das Kreischen kam von einem großen, rot-gelb gefiederten Ara, der auf seiner Schulter hockte. Ich ließ ihn und seinen Vogel herein. »Tut mir Leid«, sagte er. »Aber Scarlet kann Fledermäuse nicht ausstehen.«

»Scarlet?«

»Mein Ara.«

»Aber die Fledermäuse sind weg.«

»Offenbar sind sie wieder da.«

Ich streckte den Kopf zur Tür hinaus. Die Fledermäuse flatterten ins Lager zurück.

Ich schloss die Tür. »Er hat Recht.«

Doc schien überhaupt nicht begeistert, Silver zu sehen.

»Ich wollte nur mal vorbeischauen, um zu sehen, wie es Ihnen geht«, behauptete Silver.

»Sehr aufmerksam«, erwiderte Doc ausdruckslos.

»Ich glaube, ich hatte bislang noch nicht das Vergnügen, Ma'am«, sagte Silver. Scarlet hätte sich beinahe von seiner Schulter aus auf Flanna gestürzt, als Silver sie ansprach.

»Ich fürchte, Scarlet kann Frauen nicht besonders gut leiden.«

»Ich heiße Flanna Brenna. Und Sie?«

»Jay Silver.«

»Das ist mein Sohn, Jake«, setzte Doc hinzu.

»Wir haben uns gestern schon kennen gelernt«, sagte ich. Das erstaunte Doc.

»Ich wollte mich nur vergewissern, dass es Ihnen gut geht«, sagte Silver. »Und Ihnen mein Beileid wegen Bill aussprechen.«

Es folgte eine unangenehme Stille und im Raum herrschte eine große Anspannung, was ich nicht verstehen konnte.

»Was werden Sie jetzt tun?«, fragte Silver.

»Darüber haben wir gerade gesprochen, als Sie kamen«, antwortete Doc.

»Und?«

»Wir haben beschlossen, die Expedition abzublasen.«

»Es tut mir Leid, das zu hören«, erklärte Silver. »Das ist ein Jammer, nach all der Arbeit, die Sie schon investiert haben.«

»Ein Jammer ist«, erwiderte Doc, »dass mein bester Freund vor vierundzwanzig Stunden bei einem sinnlosen Unfall ums Leben kam. Er und sein Traum haben in ein und demselben Augenblick aufgehört zu existieren.«

»Ich weiß, dass das ein harter Schlag für Sie ist, Dr. Lansa«, sagte Silver ernst. »Aber lassen Sie mich offen sprechen... Ich kannte Bill kaum, aber ich kann mir nicht vorstellen, dass er gewollt hätte, dass sein Traum einfach so aufgegeben wird.«

»Sie kannten ihn überhaupt nicht«, sagte Doc. »Worauf wollen Sie eigentlich hinaus, Silver?«

»Ich besitze ein Boot und das ist immer noch verfügbar.«

»Vergessen Sie's!«

Docs Feindseligkeit schien Silver völlig kalt zu lassen.

Doc starrte auf den Boden. Nach einer langen Zeit sah er

wieder zu Silver auf. »Es tut mir Leid, Silver. Ich wollte Sie nicht … Na ja …«

»Ich verstehe Sie vollkommen, Dr. Lansa.«

»Nein, das tun Sie nicht«, sagte Doc. »Sie sind schon der dritte Skipper, der auf uns zukommt, seit das Boot explodierte. Wenigstens haben Sie genug Anstand, um einen Tag zu warten. Die anderen beiden haben uns im Krankenhaus angesprochen. Wenn meine Hand nicht völlig verkohlt wäre, hätte ich denen eine ordentliche Ohrfeige verpasst.«

»Wer waren die beiden?«, fragte Silver.

»Woher soll ich das wissen?«, fragte Doc gereizt.

»Das ist alles gar nicht überraschend, Dr. Lansa. Sie besitzen eine Forschungsgenehmigung, um stromaufwärts zu fahren, und die ist schwer zu bekommen.«

»*Bill* hatte eine Genehmigung! Und die wird ihm jetzt verdammt viel nützen.«

»Der Name auf der Urkunde lässt sich ändern«, erklärte Silver.

»Ich müsste bis nach Brasília fliegen, um zu versuchen sie auf mich übertragen zu lassen. Das würde dauern. Viel zu lange. Und das ist noch nicht einmal das einzige Problem. Buzz kann nicht fliegen, wegen des Beins. Ich kann nicht fliegen, wegen der verbrannten Hand. Ohne den Ultraleichtflieger werden wir es niemals schaffen, genügend Messdaten zu sammeln, um zu beweisen, dass wir dieser Sache gewachsen sind. Nicht bis zu dem Termin, den sie festgesetzt haben. Und das nächste Problem ist die Finanzierung. Wir haben einfach nicht genug Geld, um Sie und Ihr Boot anzuheuern.«

»Ich bin sicher, dass sich dafür eine Lösung finden lässt«, meinte Silver.

»Dann hätten wir immer noch das Problem mit dem Flieger«, sagte Doc.

»Vielleicht könnte Ihr Sohn lernen, mit dem Flieger umzugehen«, schlug Silver vor.

Mein Vater lachte, was meine Gefühle doch ein wenig verletzte. Allerdings war es auch ein ziemlich verwegener Vorschlag.

»Erstens einmal ist er kein Pilot. Zweitens muss er in ein paar Tagen zurück in die Staaten, um seine drei Jahre Highschool zu beenden. Drittens kann ich ihn unmöglich einer solchen Gefahr aussetzen.«

»Schon gut«, sagte Silver. »Ich versuche bloß, Ihnen Alternativen aufzuzeigen. Mein Boot ist schnell. Ich glaube, dass wir es schaffen können, die Zeit, die Sie durch die Übertragung der Genehmigung verlieren, wieder aufzuholen. Und was die Möglichkeit angeht, Ihren Sohn fliegen zu lassen, das ist Ihre Entscheidung. War nur ein Vorschlag.«

Er machte die Tür auf und wollte schon gehen, dann aber drehte er sich noch einmal um.

»Ich denke immer noch, dass es ein Jammer ist, nach all den Opfern, die dafür gebracht wurden.« Er ging durch die Tür und machte sie leise hinter sich zu. Scarlet kreischte erneut.

»Ist denn das zu fassen?«, fragte Doc.

Niemand antwortete.

»Kennst du ihn eigentlich gut?«, fragte Flanna.

»Fast überhaupt nicht. Er war einfach nur einer von denen, die angeboten haben, uns stromaufwärts zu fahren.«

»Warum habt ihr abgelehnt?«

»Da waren bestimmt ein Dutzend Skipper, die ihre Dienste angeboten haben. Wir haben sie alle weggeschickt. Bill und ich haben beschlossen, dass es das Beste sei, uns ein eigenes Boot zu besorgen.« Doc schüttelte den Kopf. »Fast wären wir sogar mit Silver gefahren. Er war entschieden besser als die meisten anderen Skipper, mit denen wir uns unterhalten haben, aber dann entpuppte sich sein Angebot als zu schön, um wahr zu sein. Wir haben uns ein bisschen über ihn umgehört. Silver ist ein ehemaliger Söldner, Typ Fremdenlegionär, bezahlter Schütze – wie immer man das nennen will –, und wir haben ihm ganz einfach nicht vertraut. Er hat seine Gründe, warum er stromaufwärts fahren will, aber ich habe keine Ahnung, welche das sind.«

Flanna rührte langsam in ihrem Kaffee. »Trotzdem«, sagte sie leise, »Silver hatte ein paar gute Argumente.«

»Was für Argumente?«, fragte Doc.

»Was Bill und das Jaguarreservat angeht.«

»Und die wären?«

»Es wurden schon viele Opfer für dieses Reservat gebracht. Bill war dein bester Freund und du kanntest ihn besser als jeder andere von uns. Glaubst du wirklich, er hätte gewollt, dass du jetzt aufgibst?«

Doc rieb über den Verband an seinem Arm. Lange Zeit sagte er gar nichts.

»Das würde er nicht wollen«, erklärte er schließlich. »Aber ihm wäre auch klar, dass es völlig ausgeschlossen ist weiterzumachen, und zwar aus eben den Gründen, die ich Silver genannt habe.«

Flanna schaute Buzz an. »Wie gefährlich ist so ein Ultraleichtflieger?«

Buzz grinste. »Ich glaube, mit ihm zu fliegen ist sicherer,

als Auto zu fahren in Manaus. Vor allem mit unserem Laster.«

Doc runzelte grimmig die Stirn.

»Wie lange würde es dauern, bis du jemandem beigebracht hast, mit dem Flieger umzugehen?«, fragte Flanna.

»Ausgeschlossen!«, protestierte Doc. »Du wirst viel zu beschäftigt damit sein, eine Bestandsaufnahme der Vegetation zu machen. Das ist eine von Woolcotts Bedingungen.«

»Wie lange?«, beharrte Flanna.

»Eine Woche«, meinte Buzz. »Ein bisschen länger vielleicht. Hängt vom Schüler ab.«

Flanna schaute mich an, dann wieder Doc. »Ich wette, Jake gibt einen hervorragenden Flieger ab.«

»Auf gar keinen Fall«, zischte Doc.

»Du hast mir selbst gesagt, dass er ein ausgezeichneter Pilot ist. Du hast dauernd davon geschwärmt. Weißt du nicht mehr? Du hast gesagt, dass er sich hinter dem Steuerknüppel viel wohler fühlt als du –«

»Schon, aber …«

»Du und ich, wir könnten noch heute nach Brasília fliegen und Woolcott treffen. Mit seiner Hilfe müssten wir es schaffen, dass die Genehmigung auf dich übertragen wird. Wenn Silver und Jake bis dahin soweit sind, können wir uns innerhalb einer Woche auf den Weg machen.«

Ich freute mich riesig, dass Doc von meinen Flugkünsten geschwärmt hatte, aber ich sagte nichts. Ich versuchte überhaupt keine Gefühlsregung zu zeigen, aber eigentlich wollte ich Flanna in diesem Moment umarmen.

Doc sah Buzz Hilfe suchend an. »Jake hat in seinem ganzen Leben erst einen einzigen Alleinflug gemacht.«

»Wenn ich ehrlich bin, Doc, ist das ein Riesenvorteil«, erwiderte Buzz. »Es gibt kaum etwas Schwierigeres, als einem Flugzeugpiloten das Steuern eines Ultraleichtfliegers beizubringen. Die Instrumente reagieren völlig anders. Mir ist es viel lieber, einen blutigen Anfänger zu unterrichten. Abgesehen davon passt der Helm so gut wie angegossen. Bloß wegen der Pedale werden wir uns was einfallen lassen müssen.«

»Du bist auch keine Hilfe, Buzz«, sagte Doc.

»Ich sage nur, wie es ist.«

»Jake hat nicht einmal einen Flugschein.«

»Um einen Ultraleichtflieger zu steuern, braucht er auch keinen. Es tut mir Leid, Doc, aber Flanna hat Recht. Wenn es nur irgend möglich ist, würde Bill wollen, dass wir das Reservat einrichten. Und das ist auf jeden Fall eine Möglichkeit. Mein gerissener Spant wird in ein paar Monaten wieder verheilt sein. Gerade rechtzeitig, um mit Woolcott und seiner Mannschaft stromaufwärts zu fahren. Dann könnte ich Jake ablösen.«

»Sieh's ein, Bob«, drängte Flanna. »Wenn du in die Staaten zurückfährst und Bill begräbst, ohne dass du wenigstens versucht hast, seinen Traum in Erfüllung gehen zu lassen, wirst du den Rest deines Lebens darunter leiden. Bill wollte keinen Grabstein. Er wollte ein Jaguarreservat.«

Doc schaute mich an. »Ich weiß, dass das eine überflüssige Frage ist, aber bist du dabei?«

Er hatte Recht. Die Frage war überflüssig.

Doc, Flanna und ich fuhren mit dem alten Laster zum Liegeplatz hinunter, um Silvers Boot zu suchen und mit ihm zu reden. Sein Boot hieß *Tito* und von außen sah es so gepflegt und gut erhalten aus wie Silver selbst. Als wir zum Boot gingen, hörten wir Scarlet kreischen. Einen Augenblick später kam Silver mit Scarlet auf der Schulter aus dem Ruderhaus heraus.

»Willkommen an Bord.« Er schien nicht im Geringsten überrascht, uns zu sehen.

Wir gingen an Bord. Scarlet beäugte Flanna misstrauisch. Doc beäugte Silver misstrauisch.

»Sie haben Ihre Meinung geändert, Dr. Lansa?«

»Schon möglich«, antwortete Doc. »Wenn Sie gerade Zeit haben, könnten Sie uns alles zeigen.«

»Mit Vergnügen.«

Die *Tito* war um die Hälfte größer als das Boot, das Doc und Bill gekauft hatten. Frischer Firnis ließ die Decks glänzen und die Messingbeschläge blitzten in der Morgensonne. Silver führte uns unter Deck und zeigte uns vier geräumige Schlafkajüten.

»Ich rate Ihnen, diese Kajüten als Lagerraum zu verwenden und nicht zum Schlafen. Hier unten wird Ihre Ausrüstung weitaus sicherer sein.«

»Und wo schlafen wir?«, wollte Flanna wissen.

»Auf Deck. Wir schlagen Moskitonetze auf. Dort oben ist es sowieso kühler.«

Er zeigte uns den Maschinenraum, dann führte er uns zur Kombüse hinauf, die schön geräumig war. Sie hatte sogar einen großen, begehbaren Kühlraum. Die letzte Station war das Ruderhaus, die Brücke also, von der aus das Boot gesteuert wurde. Um dorthin zu kommen, mussten wir eine steile Metallleiter hinaufklettern.

»Wie Sie sehen«, erklärte Silver, »ist meine Ausrüstung nicht die schlechteste.«

Ich deutete auf die Tür gegenüber der Brücke und fragte ihn, was dort sei.

»Das ist mein Quartier.«

Ich erwartete, dass er die Tür öffnete und uns einen Blick hineinwerfen ließe, aber anscheinend war das nicht Teil der Führung.

Doc und Flanna schienen von dem Boot beeindruckt zu sein, ich jedenfalls war es. Außerdem hatte mich Silver beeindruckt. Er war gelassen und kompetent. Wir stiegen wieder hinunter auf Deck.

»Wie viel würden Sie dafür verlangen, uns den Fluss hinaufzubringen?«, fragte Doc.

»Wie lange brauchen Sie mich?«

»Ich bin mir nicht ganz sicher. Könnte einige Monate dauern. Länger, wenn alles so läuft, wie wir es uns wünschen.«

»Ich bekomme tausend Dollar pro Monat und Sie zahlen für alles – Proviant, Treibstoff, Bootsausbesserungen und so weiter. Und ich will für drei Monate im Voraus bezahlt werden. Bevor wir ablegen.«

»Ich fürchte, ich verstehe nicht«, sagte Doc. »Das ist ungefähr ein Viertel von dem, was die anderen Skipper verlangt haben, und deren Boote waren nicht halb so gut wie Ihres.«

Silver zuckte mit den Schultern. »Ich habe keine großen Bedürfnisse«, meinte er.

»Das ist wohl nicht der einzige Grund, nicht wahr?«

»Sie haben Recht«, gestand Silver ein. »Ich will stromaufwärts fahren und das kann ich nicht ohne Forschungsgenehmigung. Ich würde keine hundert Meilen weit kommen, bevor man mich wieder zurückschickt.«

»Aber was wollen Sie dort oben?«

»Wie ich Ihnen schon sagte, Dr. Lansa. Sie reisen in ein Gebiet des Amazonas, in dem ich noch nie gewesen bin. Ich will mich einfach nur umsehen. Ich bin kein Naturschützer wie Sie. Ich bin nur neugierig. Ich lasse Sie das unter sich besprechen.« Er kletterte wieder zurück ins Ruderhaus.

»Ich habe dir doch gesagt, das Angebot ist zu schön, um wahr zu sein«, meinte Doc.

»Ich stimme dir zu«, sagte Flanna. »Aber wenn er uns sicher bis zum Reservat bringt, was macht das dann schon aus?«

Doc sah sich auf dem Deck um, als würde er darüber nachdenken. »Ich würde sagen, wenn wir eine Genehmigung bekommen und wenn Jake lernt, den Morpho zu steuern, dann probieren wir es einfach. Aber das sind eine ganze Menge Wenns.«

9

Doc und Flanna bekamen noch für denselben Nachmittag Flugtickets nach Brasília. Doc sorgte auch dafür, dass die sterblichen Überreste von Bill zu seiner Familie in die Staaten zurückgeflogen wurden. Silver bot an, sie in seinem Landrover, der wesentlich besser war als unser Laster, zum Flughafen zu bringen.

Docs letzte Worte an Buzz waren: »Wenn ich zurückkomme und nicht überzeugt bin, dass Jake dein komisches Gefährt sicher beherrscht, dann ist die Sache geplatzt.«

»Jawoll, Sir!« Buzz salutierte und wäre dabei wegen der Krücken beinahe umgefallen.

Doc schüttelte verzweifelt den Kopf. Als sie davonfuhren, sahen wir ihnen hinterher, dann wandte Buzz sich mir zu. »Uns bleibt nicht viel Zeit, diese Aufgabe erfolgreich zu erledigen.« Ich folgte ihm zurück ins Lager. »Ich fürchte, mit diesem kaputten Bein werde ich dir keine große Hilfe sein, Jake. Also nimm die Plane ab und zieh den Morpho raus.«

Ich schaffte es, durch das Tor zu kommen, ohne eine der Tragflächen abzureißen.

»Bist du bereit?«

Ich sah den Morpho an, nicht sicher, ob ich jemals bereit sein würde, aber mit der Hoffnung, ich würde Buzz nicht enttäuschen, indem ich den Flieger in den Boden rammte. »Ich schätze schon«, sagte ich und rannte hinein, um den Helm zu holen. Als ich wieder draußen war, streifte ich ihn über.

Buzz sah mich einen Moment spöttisch an. »Ich glaube nicht, dass du den brauchen wirst. Es sei denn, du neigst dazu, dauernd irgendwo mit dem Kopf anzustoßen.«

»Ich glaube nicht, dass ich ohne Helm fliegen sollte.«

»Ich glaube auch nicht, dass du das solltest. Aber du wirst noch lange nicht fliegen. Bring die große Werkzeugkiste raus.«

Ich lief wieder hinein und schleifte die Werkzeugkiste heraus. Ich dachte, er würde noch ein paar Dinge anpassen müssen, bevor ich abhob. Ich irrte mich gewaltig.

»Das Erste, was du tun wirst, ist, dieses Ding auseinander zu nehmen«, erklärte Buzz. »Jeden Draht, jede Mutter, jeden Bolzen und jeden Splint. Und dann wirst du das alles wieder zusammenbauen. Und ich will, dass es dann absolut genau so aussieht wie jetzt.«

Ich dachte, er macht Witze. Es würde Stunden dauern, alles zu zerlegen, und ich war mir überhaupt nicht sicher, dass ich es danach wieder zusammensetzen konnte.

»Ich bin kein Mechaniker«, wandte ich ein.

»Und du wirst auch kein Mechaniker sein, wenn du damit fertig bist. Aber du wirst wissen, wie der Morpho funktioniert. Und wenn sich dann im weiten Blau irgendetwas lockert, wirst du wissen, was das ist und ob es zum Absturz führen kann. Ich werde dir sagen, wie die Dinge heißen, während du sie auseinander nimmst. Und du wirst mir dann beim Zusammenbauen ihre Namen nennen. Wir werden einen Wettkampf daraus machen. Ich hoffe nur für dich, dass du mit Werkzeug besser umgehen kannst als dein alter Herr. Bereite dich schon mal darauf vor, dass dir der Schädel brummt.«

Mir brummte nicht nur der Schädel, ich schürfte mir die Knöchel wund und in der drückenden Hitze brannte mir der Schweiß in den Augen.

Es dauerte Stunden, bis ich den Ultraleichtflieger zerlegt hatte. Und schuld daran war Buzz. Jedes Mal, wenn ich etwas aushakte oder abschraubte, fragte er mich, was es war und wozu es diente. Wenn ich es nicht wusste, riet ich. Wenn ich mich irrte, was ziemlich häufig der Fall war, nannte er mir die korrekte Bezeichnung und den Zweck. Regelmäßig deutete er mit seiner Krücke auf einen Teil aus dem stetig wachsenden Haufen aus Muttern, Bolzen und Gestänge, um mich zu fragen, was das sei. Wenn ich die richtige Antwort nicht wusste, ließ er mich die dazugehörigen Teile so weit wieder zusammensetzen, bis ich ihm genauestens sagen konnte, was es war und wozu es diente.

»Waren Sie eigentlich in der Armee?«, wollte ich wissen.

»Keine Chance. Haben gesagt, ich sei zu dürr. Wahrscheinlich hätte ich ein zu kleines Ziel abgegeben.«

»Ich schätze, an Ihnen ist ein hervorragender Feldwebel verloren gegangen.«

Ich ahnte nicht, wie lange es dauern würde. Als die Sonne unterging, dachte ich, Buzz würde jetzt Feierabend machen. Aber nein, er ließ mich ein Verlängerungskabel holen und eine Lampe aufhängen, damit ich weitermachen konnte.

Ein paar Mal kam Silver vorbei und sah eine Weile zu. Er sagte, er würde am nächsten Tag ein paar Mann vorbeischicken, um die Anlegestelle wieder aufzubauen. Sobald die wieder intakt wäre, wollte er sein Boot vom Liegeplatz hierher bringen.

Endlich zog ich den letzten Splint heraus und schraubte die letzte Mutter auf. Meine Hände waren geschwollen, ich hatte Hunger und ich konnte mich nicht erinnern, jemals so erschöpft gewesen zu sein. Buzz nickte, machte die Lampe aus und humpelte zurück in den Schlafraum.

Alles, was ich wollte, war etwas essen und ins Bett kriechen, aber Buzz hatte andere Pläne. Wir fingen mit dem Grundkurs Ultraleichtfliegen an. Die erste Lektion handelte vom Flugwetter. Buzz dozierte über zwei Stunden lang. Die Quintessenz war: Hebe niemals mit dem Morpho ab, wenn das Wetter nicht absolut perfekt ist und es nicht so aussieht, als würde sich während des ganzen Fluges daran nichts ändern.

Nach seinem Vortrag wankte ich ins Bad. Als ich wieder

herauskam, lag Buzz tief und fest schlafend in seinem Bett und schnarchte. Ich schnappte mir etwas zu essen, fiel auf mein eigenes Bett und wäre beinahe mitten im Kauen weggedöst.

Wenige Stunden später spürte ich etwas Hartes im Rücken. Es war Buzz' Krücke. Er war ein grausamer Mann.

»Raus aus den Federn, Fliegerass!«

Ich brauchte den ganzen Tag und die halbe Nacht, um den Flieger wieder zusammenzubauen. Jedes Mal, wenn ich einen Fehler machte, ließ Buzz mich ein paar Teile wieder auseinander nehmen und von vorne anfangen. Ein paar Mal wurde ich so wütend auf ihn, dass ich zum Dock hinuntergehen musste, um mich wieder zu beruhigen. Das schien Buzz aber nicht im Geringsten zu stören. Silver machte mit seinen angeheuerten Helfern am Dock wesentlich bessere Fortschritte als ich mit dem Ultraleichtflieger. Ich beneidete sie, weil sie im Wasser arbeiten konnten, wo es einigermaßen kühl war.

Als ich den Morpho endlich wieder zusammengebaut hatte, hielt ich den letzten Splint in die Höhe und ließ ihn feierlich durch das Ende des letzten Bolzens gleiten.

Buzz schaute auf die Uhr. »Das hast du schneller geschafft, als ich gedacht hätte.«

Ich war mir nicht sicher, ob das als Kompliment gemeint war oder nicht.

»Dir ist also inzwischen klar, wie er funktioniert?«

»Ja«, sagte ich schwach.

»Glaubst du, du kannst ihn noch einmal zusammenbauen?«

»Ich glaube schon«, antwortete ich und hoffte, er würde nicht verlangen, das Ganze zu wiederholen.

»Ich glaube auch, dass du das schaffst. Gehen wir rein und schlafen ein bisschen.«

Als wir ins Lagerhaus kamen, klingelte das Telefon. Buzz ging ran. Es war Doc.

»So etwas habe ich überhaupt noch nie erlebt«, sagte Buzz in den Hörer. »Jake ist der geborene Pilot. Es ist absolut unglaublich!« Er zwinkerte mir zu und hielt einen Finger an die Lippen. »Phantastisch! Wann meinst du, werdet ihr wieder hier sein?... Silver ist heute mit der Anlegestelle fertig geworden. Morgen bringt er sein Boot her... Ich denke, er ist in Ordnung. Ich glaube nicht, dass ihr Schwierigkeiten mit ihm haben werdet... In Ordnung. Bis dann.« Er hängte ein.

»Flanna und Doc waren heute bei Woolcott. Das mit Bill tat ihm sehr Leid und er meint, sie sollten auf jeden Fall mit der Expedition weitermachen. Er wird ihnen helfen, die Genehmigung übertragen zu lassen.«

»Was war das, das Sie da über Silver gesagt haben?«, fragte ich.

»Doc wollte bloß wissen, was ich von ihm halte. Er ist einfach nur vorsichtig.«

»Und was sollte das heißen, dass ich der geborene Pilot bin? Ich bin noch kein einziges Mal mit dem Morpho geflogen.«

»Ich wollte ihn nur ein bisschen aufmuntern. Er hat sich sehr gefreut.«

Am nächsten Morgen war ich schon wach, bevor die Krücke mich piesackte. Heute war der Tag, an dem ich fliegen würde, das dachte ich wenigstens. Ich machte Buzz eine Kanne Kaffee, dann ging ich nach draußen, um den

Morpho zu betrachten. Ich hoffte bloß, ich hatte ihn wieder richtig zusammengesetzt.

Ungefähr eine halbe Stunde später kam Buzz zu mir nach draußen. »Eine kleine Fleißarbeit gibt es da noch, bevor du in das Cockpit klettern kannst.«

Ich runzelte die Stirn.

»Du musst lernen, den Fallschirm des Morpho zu packen.«

Ich hatte nicht einmal gewusst, dass er über einen Fallschirm verfügte.

Buzz humpelte wieder hinein und deutete auf eine der Kisten. Ich öffnete sie und zog etwas heraus, das aussah wie ein Rucksack. Er befahl mir, ihn nach draußen zu tragen und den Schirm aus der Packhülle zu ziehen. In der Hülle befanden sich tatsächlich zwei Fallschirme, ein Hauptschirm und ein kleinerer Ersatzschirm, für den Fall, dass der erste sich nicht öffnete.

»Das ist ein ballistischer Schirm«, erklärte er. »In der Packhülle befindet sich ein Sprengsatz. Wenn man die Leine zieht, schießt er den Fallschirm vom Ultraleichtflieger weg, damit er sich nicht in den Tragflächen verheddert.«

»Soll das heißen, man versucht gar nicht, sich in Sicherheit zu bringen?«

»Nö. Wenn es brenzlig wird, ziehst du die Leine und segelst in dem Morpho zu Boden wie ein welkes Blatt im Herbst. Theoretisch.«

»Mussten Sie den Fallschirm schon einmal benutzen?«

»Einmal«, sagte er. »Und da bin ich in einer Eiche hängen geblieben und hätte mir fast das Genick gebrochen.«

Das war nicht gerade ermutigend. »Der Regenwald besteht aus nichts anderem als Bäumen«, machte ich ihn aufmerksam.

»Weiß ich«, sagte er. »Wahrscheinlich wirst du den Schirm sowieso nicht brauchen. Und wenn doch, dann musst du sehr vorsichtig sein.«

Na klasse!

Buzz ließ mich den Fallschirm aus- und einpacken, bis ich es mit verbundenen Augen geschafft hätte.

»Ich glaube, das hast du drauf«, sagte er schließlich. »*Jetzt* kannst du den Helm aufsetzen.«

Den größten Teil des Tages verbrachte ich damit, durchzustarten. Diese Übung bestand darin, den Morpho über die ebene Fläche hinter dem Lager zu fliegen, wobei ich nicht mehr als höchstens drei Meter hoch abhob.

»Die Idee ist, ein Gefühl für den Gashebel und die anderen Instrumente zu entwickeln«, erklärte er. »Ich will, dass du mit geschlossenen Augen landen kannst.«

Der Motor des Fliegers war sehr laut, trotz der ausgefeilten Dämpfungsvorrichtungen, mit denen Buzz ihn versehen hatte. Und schon in drei Metern Flughöhe war der Flieger nur schwer zu beherrschen. Ich hatte das Gefühl, jeden Moment abzustürzen. Am späten Nachmittag war Buzz endlich überzeugt, dass ich den Morpho starten und landen konnte. Jeder Muskel meines Körpers schmerzte und ich wusste nicht, ob das von den Erschütterungen bei jeder Landung kam oder ob die Muskeln durch die dauernde Anspannung übersäuert waren.

»Ich glaube, für heute war das genug für dich«, sagte er. »Morgen montieren wir die Schwimmkörper und schauen mal, wie du dich bei Wasserlandungen schlägst.«

»Wissen Sie, Buzz, Doc wird in ein paar Tagen wieder

hier sein und er erwartet, dass ich weiß, wie man mit diesem Gerät fliegt.«

Buzz lachte. »Ob du es glaubst oder nicht, aber das Schwerste hast du schon gelernt – den Flieger in die Luft und sicher wieder herunterzukriegen. Das eigentliche Fliegen ist nicht weiter schwer.«

An diesem Abend waren Silver und seine Leute mit der Arbeit an der Anlegestelle fertig und er sagte, er würde die *Tito* am nächsten Tag hierher bringen.

Früh am nächsten Morgen befahl Buzz mir, die Schwimmkörper an den Landevorrichtungen des Morpho anzubringen.

Auf dem Wasser zu starten und zu landen war wesentlich schwieriger als an Land. Das Wasser setzte dem Flieger einen wesentlich höheren Widerstand entgegen und so brauchte ich weit mehr Tempo, um abheben zu können. Bei den Landungen musste ich auf die Strömung und den Seitenwind achten, damit der Morpho nicht kenterte. Ich merkte, dass ich mich, wenn einer der Schwimmer vom Wasser abhob, dagegenlehnen musste, um ihn wieder auf die Oberfläche hinunterzudrücken. Nachdem ich zwanzigmal durchgestartet hatte, war ich völlig durchnässt. Ich glitt hinüber zum Dock, wo Buzz stand, und schaltete die Maschine ab. Er schaute zum Himmel. »Schätze, es wird Zeit, ins weite Blau da oben vorzustoßen. Aber zuerst musst du dir was Trockenes anziehen. In zweitausend Fuß Höhe kann es verdammt kalt werden, wenn man nass ist.«

»Zweitausend Fuß?«

Er nickte. »So in etwa«, meinte er. »Ich möchte, dass du ein paar entspannte Kreise ziehst. Bleib einfach immer in

Sichtweite des Lagers und ich bleibe über dieses tragbare Funkgerät in Kontakt mit dir.«

Nachdem ich mich umgezogen hatte, füllte ich den Tank mit Benzin, gurtete mich im Sitz fest und klappte den Sichtschutz des Helms herunter.

»Gut«, sagte Buzz über Funk. »Dann drück mal auf die Tube.«

Ich atmete tief durch und ließ den Motor an. Als der Öldruck stimmte, zog ich den Gashahn ganz heraus. Sekunden später hatte ich abgehoben, aber anstatt die Fahrt zu verringern und wieder zu landen, zog ich den Steuerknüppel zu mir her und flog. Anfangs war ich sehr nervös, aber dieses Gefühl wich bald einer echten Hochstimmung. Ich flog tatsächlich den Morpho, es war Wahnsinn.

»Was ist deine Höhe?«, fragte Buzz.

Ich schaute auf den Höhenmesser. »Etwa tausend Fuß.«

»Gut. Zieh ihn gegen den Uhrzeigersinn herüber und behalte diesen Steigungswinkel bei, auf zweitausend Fuß gehst du dann in die Horizontale. Du machst das phantastisch.«

Ich hatte einen meilenweiten Blick, wenn auch die Sicht durch den dichten Qualm überall brennender Holzfeuer etwas getrübt war. In der Ferne, Meilen vom Fluss entfernt, konnte ich die ersten Ausläufer des Regenwalds ausmachen. Ich brachte den Ultraleichtflieger auf zweitausend Fuß und blieb dann auf dieser Höhe. Buzz war ein kleiner Punkt in der Nähe des Docks. Ich machte fünfzig Knoten. Bei dieser Geschwindigkeit sprachen die Instrumente sehr schnell an. Um eine Linkskurve zu machen, musste ich nur ein klein wenig Druck auf den Steuerknüppel und das Pedal für das Seitenruder geben.

Ich spürte jeden Windhauch und die Temperaturunterschiede, als ich die einzelnen Luftschichten durchquerte. Buzz ließ mich ein halbes Dutzend weiterer Schleifen um das Lagerhaus fliegen, dann sagte er, ich sollte mich an den Landeanflug machen, bevor ich vergessen hätte, wie man wieder herunterkommt. Die Landung war ein wenig holprig, aber ich setzte sicher auf und glitt zum Dock hinüber.

»Ordentlich«, meinte Buzz. »Sehr, sehr ordentlich.«

»Es war großartig.«

Er lächelte. »Lass uns die Kiste überprüfen und auftanken und dann kannst du wieder raufgehen.«

Am Ende des Tages, als wir den Flieger wieder ins Lager brachten, schwebte ich noch immer, obwohl ich längst wieder auf dem Boden war. Buzz war mit meiner Leistung sehr zufrieden.

10

Den nächsten Tag verbrachte ich damit, verschiedene Flugmanöver mit dem Morpho zu üben, während Buzz zusah. Am Abend fuhren er und Silver mit dem Landrover in, wie Buzz es nannte, »geheimer Mission« davon. Sie kamen erst spät zurück.

Am Morgen darauf verkündete Buzz, wir würden jetzt Verstecken spielen.

»Wie meinen Sie das?«

»Ganz einfach«, erklärte er. »Gestern Abend haben wir ein halbes Dutzend Funkhalsbänder in der Umgebung verteilt. Du wirst sie mit dem Empfänger und dem Satelliten-Positionsbestimmungssystem wieder finden. Sobald du die Lage des Halsbands hast, funkst du sie mir zu, ich sage dir, ob sie korrekt ist, und gebe dir dann die Frequenz des nächsten Senders durch.«

Ich hob ab. Bei zweitausend Fuß brach ich den Steigflug ab und gab die Zahlen für das erste Halsband in den Empfänger ein. Während ich langsame, weite Kreise zog, horchte ich konzentriert nach dem Signal des Halsbands. Nach der Hälfte der Schleife hörte ich ein sehr leises *Piep... Piep... Piep,* als die Antennen das Signal auffingen. Alles, was ich noch tun musste, war, dem Piepsen zu folgen, bis ich meinte, genau über der richtigen Stelle zu sein. Als ich in Kenia gewesen war, hatte ich von einem Flugzeug aus Funkortungen gemacht, aber damals hatte ich nicht gleichzeitig die Maschine fliegen müssen. Beides zu tun war nicht leicht. Ich verlor das Signal zweimal, bevor mir klar war, aus welcher Richtung es kam. Dann wurde es wieder schwächer und ich wusste, ich war darüber hinweggeflogen. Ich flog in einem Bogen zurück. Als ich meinte, das Signal sei jetzt am lautesten, drückte ich den Knopf des GPS und funkte Länge und Breite an Buzz.

»Nah genug«, sagte er und gab mir die Frequenz des nächsten Bands.

Ich brauchte den ganzen Tag, um die restlichen Halsbänder zu finden. Fünfmal musste ich zum Lager zurückfliegen, um nachzutanken.

An diesem Abend bot Silver an, die Halsbänder zu nehmen und allein zu verstecken. Buzz nahm dankbar an. Sein Bein hatte ihm, wegen der holprigen Fahrt im Landrover am Abend zuvor, den ganzen Tag zu schaffen gemacht.

Buzz und ich hauten uns ziemlich früh aufs Ohr, aber aus irgendeinem Grund konnte ich nicht einschlafen. Seit ich wusste, dass ich womöglich hier bleiben konnte, hatte ich keinen Bericht mehr an das Heim geschickt. Ich schob es immer wieder auf, weil ich nicht wusste, was ich sagen sollte. Taw würde das mit Bill Leid tun und er würde enttäuscht sein, dass ich nicht in ein paar Tagen zurück wäre.

Ich lag lange im Dunkeln und dachte über Doc, Flanna, die Expedition und das Fliegen nach. Es war aufregend, mit ihnen gehen zu können, aber ich hätte mir gewünscht, Doc hätte mich freiwillig mitgenommen, statt durch Bills Tod dazu gezwungen zu sein. Warum hatte er sich nicht bei mir gemeldet, während ich im Heim gewesen war? Warum hatte er mir nichts von Flanna erzählt? Eine innere Stimme sagte urplötzlich zu mir – *aus demselben Grund, aus dem du Taw nicht erzählen willst, dass du nicht wiederkommst.* Mir wurde klar, dass es schwierig ist, jemandem etwas zu erzählen, was der andere nicht hören will. Vielleicht war das der Grund, warum Doc sich nicht gemeldet hatte.

Ich stand auf und huschte nach draußen, weil ich hoffte, nach einem kurzen Spaziergang schlafen zu können. Im Ruderhaus der *Tito* brannte Licht. Ich ging hinüber, um zu sehen, was Silver da wohl machte. Ich ging an Bord und rief seinen Namen, aber er antwortete nicht.

Ich kletterte die steile Leiter zum Ruderhaus hinauf. Er war nicht dort, ebenso wenig Scarlet, aber die Tür zu seiner Kajüte stand einen Spalt offen. Ich klopfte und rief noch einmal seinen Namen. Nichts. Ich machte die Tür ganz auf. »Silver?«

Das einzige Licht in der Kabine stammte von einer kleinen Lampe auf dem Schreibtisch. Ich trat ein. Seine Kabine war doppelt so groß wie die unter Deck. In ihr standen ein einfaches Bett, ein Eichenholzschreibtisch und ein großer Kartentisch. Eine Wand war vom Boden bis zur Decke mit Regalen voll gestellt, die vor Büchern förmlich überquollen. Das freute mich und ich hoffte, er würde mir ein paar davon auf der langen Fahrt den Amazonas hinauf ausleihen. Er besaß einige von den Büchern über Entdecker, die ich schon im Heim gelesen hatte. Ansonsten hatte er auch Geschichts- und Tierbücher und einige Bände über die Eingeborenenvölker am Amazonas. Einige Bücher sahen sehr alt aus und hatten zerfledderte Ledereinbände. Ich zog eines heraus und sah die vergilbten Seiten an. Es war in Portugiesisch geschrieben.

Ich war schon dabei, ein weiteres Buch aus dem Regal zu ziehen, als mir einfiel, Silver könnte vielleicht etwas dagegen haben, dass ich in seinem Privatquartier herumschnüffelte. Ich beschloss, lieber wieder zu verschwinden, aber als ich mich zum Gehen wandte, wurde ich auf die gerahmten Fotos über Silvers Schreibtisch aufmerksam. Ich ging hinüber, um sie mir genauer anzusehen. Aus den Bildern blickte mich eine viel jüngere Version Silvers an. Er hatte dunkles kurz geschnittenes Haar und trug Armeekleidung. Die Fotos mussten während des Vietnamkriegs aufgenommen worden sein. Auf den Bildern waren neben Silver noch andere Soldaten zu sehen – wahrscheinlich Kameraden aus derselben Kompanie. Unter diesen Fotos hingen farbige Schnappschüsse von Silver, der mit einem Indiojungen spielte. Der Junge war vielleicht zwei Jahre alt. Silver lächelte auf jedem Bild und er schien wirklich glücklich zu sein.

Ich hörte Geräusche hinter mir. Bevor ich mich umdrehen konnte, schubste mich jemand gegen die Regale, packte mich dann und schleuderte mich zu Boden. Im dämmrigen Licht erhaschte ich einen kurzen Blick auf sein Gesicht. Auf der linken Gesichtshälfte war eine kleine Narbe. Das war das Letzte, woran ich mich erinnerte, bevor ich das Bewusstsein verlor.

Ich weiß nicht, wie lange ich bewusstlos war, aber als ich wieder zu mir kam, lag ich immer noch auf dem Boden und Silver kniete neben mir. Ich hatte rasende Kopfschmerzen und nahm alles nur verschwommen wahr.

Ich wollte mich aufsetzen, aber Silver drückte mich sanft zurück. »Du bleibst besser noch einen Moment liegen.«

»Was ist passiert?«

»Sieht aus, als hätte es einen kleinen Einbruch gegeben. Wie viele waren es?«

»Nur einer, glaube ich.«

»Konntest du zufällig erkennen, wie er aussah?«

»Nicht richtig. Es war ziemlich dunkel. Ich glaube, er hatte eine Narbe im Gesicht.«

Silver nickte. »Kannst du dich aufsetzen? Ganz langsam.« Er half mir. Die Kabine drehte sich und ich musste mich sehr beherrschen, um mich nicht zu übergeben. »Du musst ihn bei seiner kleinen Party gestört haben.«

Ich schaute mich im Zimmer um. Es war das reinste Chaos. Die Matratze von Silvers Bett war zerfetzt. Jedes Buch war aus dem Regal gezerrt worden; alle Schubladen hatte er herausgezogen und auf den Boden geleert.

Ich atmete tief durch. »Ich habe ihn nicht bei seiner Party gestört«, gab ich zu. »Sondern er mich bei meiner.« Ich erklärte, warum ich in seiner Kabine gewesen war, und entschuldigte mich dafür, dass ich nicht vorher um Erlaubnis gefragt hatte.

Silver schien das nicht viel auszumachen.

»Hat er irgendetwas mitgenommen?«, wollte ich wissen.

»Nichts Wichtiges. Glaubst du, du kannst aufstehen?«

Er half mir auf die Beine und führte mich ins Ruderhaus, wo es heller war.

»Das gibt eine ganz ordentliche Beule«, sagte er und schaute sich meinen Hinterkopf an.

»Es geht schon. Brauchen Sie Hilfe beim Aufräumen?«

»Nein, darum kümmere ich mich schon. Aber du brauchst jetzt Ruhe.«

Er ging mit mir zum Lagerhaus und blieb vor dem Eingangstor stehen. »Schaffst du den Rest allein?«

»Klar.«

»Ach, eines noch«, sagte Silver. »Warum wollen wir das nicht einfach unser kleines Geheimnis sein lassen? Es hätte doch keinen Sinn, Buzz und deinen Vater aufzuregen. Die beiden haben so schon genug Sorgen.«

Er hatte Recht. Der Vorfall würde nur Docs Meinung bestätigen, dass es hier zu gefährlich für mich sei. Ich sagte, ich würde niemandem davon erzählen, und entschuldigte mich noch einmal, dass ich in seine Kabine gegangen war.

»Halb so wild. Tut mir nur Leid für deinen Kopf.«

Buzz weckte mich mit einem Stups seiner Krücke. »Es gibt Arbeit, Fliegerass.«

Ich hatte nur ungefähr vier Stunden geschlafen und mein Kopf fühlte sich an, als wolle er bersten. Mir war eigentlich gar nicht nach Fliegen zu Mute, aber ich wusste, mir blieb nichts anderes übrig. Ich stolperte ins Bad und duschte ausgiebig. Die Beule an meinem Hinterkopf war furchtbar empfindlich. Ich ging zurück in den Schlafraum. Buzz hatte es geschafft, trotz seiner Krücken ein Frühstück zu bereiten. Es ging ihm offenbar besser als gestern. Ich setzte mich an den Tisch und begann zu essen. Buzz stand hinter mir und trank eine Tasse Kaffee.

»Was ist denn mit deinem Kopf passiert?«, fragte er besorgt.

»Ich bin letzte Nacht noch spazieren gegangen und hab ihn mir irgendwo angestoßen.«

»Das ist schon mehr als eine harmlose Beule. Kommst du damit klar?«

»Es geht schon.« Irgendwann einmal, dachte ich.

»Unser Freund Silver hat mir erzählt, er hätte gestern Abend ganze Arbeit geleistet, beim Verstecken der Halsbänder. Heute wird es also nicht mehr so leicht«, warnte er.

Heute würde überhaupt nichts leicht werden. Ich frühstückte zu Ende und kletterte in den Morpho.

Buzz hatte Recht: Die Halsbänder aufzustöbern war schwierig. Ich brauchte über zwei Stunden, um die ersten beiden zu finden. Als ich herumflog, um das Signal des dritten Bandes aufzuspüren, kam ein Funkspruch herein.

»Morpho, hier Basis«, sagte Buzz. »Bitte sofort zurückkehren. Over.«

»Was ist los? Over.«

»Komm einfach zurück«, sagte Buzz. »Und schau zu, dass du die beste Landung deines Lebens hinkriegst. Over und Ende.«

Ich fragte mich, was das wohl zu bedeuten hätte. Ich wendete den Morpho und flog zurück. Aus der Ferne konnte ich vier Leute ausmachen, die am Dock standen, aber erst, als ich näher kam, konnte ich erkennen, wer sie waren – Buzz, Silver, Flanna und mein Vater. Ich hatte Doc und Flanna nicht so bald zurückerwartet. Ich fragte mich, ob das hieß, dass sie die Forschungsgenehmigung nicht erhalten hatten.

Ich flog über sie hinweg und wackelte mit den Tragflächen. Sie winkten zurück. Buzz hatte Recht: Ich musste eine perfekte Landung zeigen; andernfalls könnte es sein, dass Doc die gesamte Expedition absagte. Ich wünschte nur, meinem Kopf ginge es besser.

Ich folgte ein Stück dem Flusslauf und kippte den Morpho für den Landeanflug nach links. Dann drosselte ich die Maschine und zog die Nase sachte nach oben, bis der Flieger an Höhe verlor. Der Morpho erzitterte leicht. Eine Sekunde darauf strichen die Schwimmer beinahe ohne jede Erschütterung über die Wasseroberfläche. Ich stieß einen tiefen Seufzer der Erleichterung aus.

»Nicht schlecht, Fliegerass«, sagte Buzz über Funk.

Ich glitt hinüber zur Anlegestelle. Silver ergriff eine Tragfläche und hielt den Flieger im Gleichgewicht, während ich den Gurt löste und ausstieg.

»Das war ziemlich gut«, meinte Doc. »Ich hätte wirklich nicht gedacht, dass du das so schnell lernst.«

»Er hatte halt einen großartigen Lehrmeister«, sagte Buzz bescheiden.

»Habt ihr die Genehmigung bekommen?«, fragte ich.

»Haben wir. Wie es aussieht, wirst du in ein paar Wochen Jaguare orten.«

Wir brauchten den ganzen nächsten Tag, um die Vorräte auf das Boot zu verladen. Ich verbrachte die Zeit damit, den Morpho zu zerlegen, damit wir ihn an Bord schaffen konnten. Als Doc sah, wie ich ihn auseinander nahm, bekam er einen kleinen Wutanfall, weil er dachte, niemand würde ihn wieder zusammenbauen können, wenn wir erst dort wären. Buzz versicherte ihm, sein Sohn habe seinen Mangel an technischen Fähigkeiten *nicht* geerbt. Doc beruhigte sich wieder, aber er war noch immer skeptisch.

Am selben Abend schickte ich ein Fax an das Heim:

Lieber Taw,

wir hatten hier einen schrecklichen Unfall. Das Boot von Doc und Bill ist in Manaus explodiert und dabei ist Bill ums Leben gekommen. Doc hat sich den Arm und die Hand im Feuer verbrannt, aber das wird wieder heilen. Der Pilot der Expedition, Buzz Lindbergh, hat sich bei der Explosion ein Bein gebrochen. Sie haben mich gebeten, das Flugzeug zu steuern, mit dem sie die Jaguare orten – zumindest fürs Erste. Es sieht also so aus, als würde es eine Weile dauern, bis ich nach Poughkeepsie zurückkomme. Morgen legen wir in Richtung Reservat ab. Leider werde ich dir also erst einmal keine Berichte mehr schicken können, weil ich mit einem Boot den Amazonas hinauffahre.

Ich werde dich vermissen! Sobald ich zurück bin, werden wir die Reise nach Arizona machen, von der du gesprochen hast. Bestelle den anderen »Insassen« bitte ganz liebe Grüße von mir und richte ihnen aus, dass es bei meiner Rückkehr eine Pressekonferenz geben wird, die sie niemals vergessen werden.

Alles Liebe, Jake

PS: Sag Peter, er soll jeden Tag mit dir spazieren gehen. Schließlich musst du in Form sein, wenn wir nach Arizona fahren!

Am nächsten Morgen studierten Doc und Buzz eine Karte und legten ein vorläufiges Basislager fest.

»In ein paar Monaten werde ich Woolcott dorthin bringen«, sagte Buzz. Er wandte sich an mich. »Und Jake, dass du mir ja gut auf mein Baby aufpasst.«

Ich versicherte ihm, das würde ich.

Als die Sonne gerade aufging, verabschiedeten wir uns von Buzz und begannen die lange Fahrt den Amazonas hinauf.

Der Fluss

11

Sobald wir unterwegs waren, kam Silver aus dem Ruderhaus herunter und stellte einige Regeln auf. Die erste war, wir müssten jederzeit eine geladene Flinte griffbereit haben. Flanna gefiel diese Vorstellung überhaupt nicht und Doc ging es nicht viel anders. Er war noch nie ein Freund von Gewehren gewesen.

»Gewehre bringen nichts als Ärger«, sagte Flanna.

»Die Flinte dient dazu, Schwierigkeiten zu beenden, nicht anzufangen«, erklärte Silver.

»Meinen Sie nicht, Sie sind da ein wenig paranoid?«, fragte Doc.

Silver war über diese Reaktion offensichtlich verblüfft. Er lehnte sich auf die Reling und schaute zum Ufer hinüber, als dächte er über eine angemessene Erwiderung nach.

»Während Sie hier rumstehen und uns befehlen, uns zu bewaffnen, als würden wir uns in einem Kriegsgebiet befinden«, sagte Flanna, »wer steuert da eigentlich das Boot? Wenn wir untergehen, brauchen wir nämlich bestimmt keine Flinte.«

Silver drehte sich um und sah sie an. »Das Boot fährt mit Autopilot«, erklärte er gelassen.

»Und sagt Ihnen Ihr Autopilot vielleicht auch Bescheid, wenn ein treibender Baumstamm das Boot rammt?«, fragte Flanna.

»Nein«, erwiderte Silver. »Das macht Scarlet für mich.

Sie hat viel bessere Augen als ich. Und als Sie, wie ich vielleicht hinzufügen darf. Sie lässt es mich wissen, wenn ein Hindernis auftaucht.«

»Ach, das ist ja wirklich großartig«, sagte Doc angewidert. Sie wollen, dass wir Flinten tragen, und wir haben einen Ara als ersten Maat.«

»In Ordnung, Doc«, sagte Silver leise. »Ich schätze, es ist an der Zeit, ein paar Dinge klarzustellen. Und ich bin froh, dass es jetzt passiert und nicht irgendwo weiter flussaufwärts, wo uns für so eine Art Diskussion womöglich keine Zeit bleibt. Wie Sie wissen, dringen wir in unerforschtes Gebiet vor. Abgesehen von der Tatsache, dass es dort heiß sein wird und voll von lästigen Insekten, giftigen Schlangen und kräftezehrenden Krankheiten, weiß ich nicht, was auf uns zukommt.«

»Ich fahre nicht das erste Mal den Fluss hinauf«, erinnerte Doc ihn.

»Aber zum ersten Mal seit langer Zeit, Dr. Lansa. Die Dinge haben sich gewaltig geändert. Das Landesinnere ist erschlossen worden und es wimmelt dort nur so von Leuten, die Sie für hundert Dollar oder einfach nur zum Spaß ermorden, wenn ihnen gerade danach ist. Es gibt praktisch keine Staatsgewalt und das bisschen, was davon existiert, ist so korrupt, dass es besser überhaupt keine Gesetze gäbe. Es ist schlimmer, als der Wilde Westen es jemals war.«

Mein Vater dachte eine Weile darüber nach. »Wenn es wirklich so schlimm ist, wie Sie sagen, warum haben Sie uns dann keine Mannschaft anheuern lassen, die uns beschützen würde?«

»Weil das das Schlimmste wäre, was wir überhaupt machen könnten!«, sagte Silver. »Der Grund, warum die meisten Expeditionen scheitern, ist, dass sie zu viele Leute dabeihaben. Mehr hungrige Mäuler, mehr unverträgliche Charaktere, mehr Auseinandersetzungen darüber, was getan wird, wenn die Dinge anfangen aus dem Ruder zu laufen. Wenn das Reservat erst einmal eingerichtet ist, können Sie so viele Leute mitnehmen, wie Sie wollen. Aber jetzt ist es ein himmelweiter Unterschied, ob wir vier oder ein halbes Dutzend Leute sind. Glauben Sie mir, ich weiß das! Ich habe es erlebt. Und das bringt mich auf den wichtigsten Punkt und möglicherweise zum Kern des Problems, das Sie und Dr. Brenna haben.«

»Und das wäre?«

»Ich bin Kapitän auf diesem Schiff. Punktum! Ich bin dafür zuständig, uns zum Reservat zu bringen, und Sie sind dafür zuständig, das Reservat einzurichten.«

Scarlet stieß einen alles durchdringenden Schrei aus. »Wenn Sie mich entschuldigen würden«, sagte Silver und kletterte ins Ruderhaus hinauf.

»Er ist verrückt«, sagte Doc. »Und ich muss verrückt gewesen sein zu glauben, dass das funktionieren würde.«

Das Boot schlingerte nach rechts. Ein paar Sekunden später kamen wir an einem sehr großen Baum vorbei, der direkt unter der Wasseroberfläche dahintrieb. Keiner von uns hätte ihn sehen können, bevor er ein Loch von der Größe einer Waschmaschine in das Boot gerissen hätte. Ich schaute Flanna und Doc an.

»Wie hat Silver es nur geschafft, den Zeitpunkt so genau abzupassen?«, fragte Flanna, die von Scarlets Seemannskünsten offensichtlich beeindruckt war.

»Du warst eine Woche lang mit ihm zusammen, Jake«, sagte Doc. »Vertraust du ihm?«

Ich dachte daran, wie Silver mir am Tag der Explosion und nach dem Einbruch geholfen hatte. Abgesehen davon hatte ich so gut wie keinen Kontakt zu ihm gehabt. Die meiste Zeit blieb er für sich. »Ich weiß nicht«, antwortete ich. »Ich glaube, man kann ihm trauen.«

Silver kam wieder aufs Deck herunter. »Wo waren wir stehen geblieben?«

Doc schüttelte den Kopf. »Ich gebe zu, dass ich eine Weile nicht mehr stromaufwärts gewesen bin, aber trotzdem gefällt mir diese Flintenidee überhaupt nicht.«

»Ich verlange ja nicht, dass Sie irgendjemanden erschießen«, sagte Silver. »Ich will nur, dass Sie die Flinte in der Nähe haben, um diejenigen abzuschrecken, die auf Sie schießen wollen.«

Doc sah Flanna an. Sie nickte. »Also gut, Silver«, sagte er. »Sie sind der Kapitän.«

»Gut. Wir brauchen drei Wochen, um an unser Ziel zu kommen, falls alles gut läuft, aber in diesem Land läuft selten etwas gut.« Er stieg ins Ruderhaus.

Die Tage auf dem Fluss waren lang, heiß und ziemlich langweilig. Es regnete fast täglich. Dunkle Wolken stießen herab, gaben mehrere Zentimeter Regen frei und verschwanden so schnell, wie sie gekommen waren.

Doc war nicht gerade bester Stimmung. Hand und Arm verheilten nicht richtig und ich glaube, er hatte ständig Schmerzen. Aber das war nicht sein einziges Problem. Bills Tod nagte an ihm. Seine übliche Art, mit tragischen Ereignissen umzugehen, war, sich wie ein Berserker in Arbeit zu stürzen.

Die ersten paar Tage auf dem Fluss konnte er sich die

Dämonen seines Kummers noch vom Leib halten, indem er beständig etwas tat. Er richtete auf Deck unsere Unterkunft ein, er schlug die Hängematten und Moskitonetze auf. Er machte eine Bestandsaufnahme aller unserer Vorräte und berechnete, wie lange sie vorhalten würden. Danach arbeitete er an der Funkausrüstung, die er zum Orten der Jaguare brauchen würde. Er modifizierte Empfänger, katalogisierte Halsbandfrequenzen und richtete auf seinem Laptop eine Datenbank für die Ortungsergebnisse ein. Aber dann gab es nichts mehr zu tun für ihn. Er verbrachte einen gut Teil seines Tages in der Hängematte und sah dem vorüberziehenden Ufer zu, das sich seit seiner letzten Fahrt wesentlich verändert hatte.

Doc war vom Ausmaß der Zerstörung des Regenwalds, die er auf dem Weg flussaufwärts zu sehen bekam, entsetzt. Vor zwanzig Jahren hatten er und Bill als Studenten sechs Wochen am Amazonas verbracht. Viele der üppigen grünen Plätze, die sie damals besucht hatten, waren inzwischen verschwunden – dort hatten sich jetzt Bergbau-, Rodungs-, und Ölförderunternehmen angesiedelt. Silver sagte nichts, aber ich konnte sehen, dass ihn die Vernichtung ebenso erschütterte wie uns. Immer wieder bemerkte ich, wie er auf die verwüstete Landschaft starrte und voller Bestürzung den Kopf schüttelte.

»Die Suche nach Gold ist am schlimmsten«, erklärte mir Flanna. »Selbst ein vages Gerücht über Goldvorkommen lockt schon tausende von Menschen in den Regenwald. Sie holzen die Bäume ab, verbrennen die Vegetation, schlagen Straßen, errichten Barackensiedlungen und töten jedes Tier, das sie finden können, um es zu essen oder sein Fell zu verkaufen. Wenn sie ein Gebiet wieder verlassen, dann ist alles, was bleibt, eine hässliche Narbe, die erst nach hundert Jahren verheilt, wenn überhaupt.«

Dann erzählte sie, wie man das Gold findet.

»Die Goldsucher folgen einem schmalen Zufluss bis hinauf zum Quellgebiet, dann versuchen sie Stück für Stück flussabwärts Gold auszuwaschen, bis sie endlich fündig werden. Danach arbeiten sie sich den ganzen Weg wieder hinauf, indem sie in Ufernähe so lange schürfen, bis sie am Ursprung des Goldes sind. Wenn die Quelle gefunden ist, folgen sie ihr bis zur Felsformation und graben um die Formation herum, bis sie auf die Goldader stoßen.

Aber das ist noch nicht einmal das Schlimmste. Die Bäume werden gefällt, die Flüsse verseucht und die Indios, die das Pech haben, in der Nähe der Goldgräberlager zu leben, werden entweder getötet oder zu Sklavendiensten gezwungen.«

»Das klingt nicht viel anders als das Schicksal der Indianer in Nordamerika«, stellte ich fest.

»Es ist genau dasselbe«, stimmte Silver zu. »Und wahrscheinlich wird es sich niemals ändern.«

Ich hatte vermutet, wir würden am Fluss Tiere sehen, wenn wir erst ein Stück von Manaus weg wären, aber beinahe die einzigen Tiere, die wir sahen, waren Geier, die in der Nähe der Barackenstädte auf Bäumen hockten.

Alle paar Tage hielten wir an einem Treibstoffkahn an, um die Benzintanks der *Tito* aufzufüllen. Silver meinte, wenn wir erst weiter stromaufwärts seien, würde Treibstoff schwerer aufzutreiben sein und wesentlich teurer werden.

Es gab auf dem Fluss noch eine Menge anderer Boote neben unserem – Hausboote mit baufälligen Aufbauten, die wie schwimmende Dörfer wirkten; kleine Fischerboote; große Versorgungskähne; Fähren, die Reisende transportierten; schwimmende Bordelle, die Prostituierte von einer Siedlung zur nächsten brachten; Lebensmittelkähne, die Obst, Gemüse, Fleisch und frische Eier aus bordeigenen Hühnerställen heranschafften.

Außerdem gab es Patrouillenboote, die uns mehrere Male anhielten, um unsere Pässe zu kontrollieren und sicherzustellen, dass unsere Forschungsgenehmigung in Ordnung war. Manchmal war die Patrouille bei einem Treibstoffkahn stationiert und wir wurden kontrolliert, wenn wir zum Tanken anlegten. Andere Male hielten sie uns mitten auf dem Fluss an, was Silver nicht wenig verstimmte. Dann mussten wir ans Ufer fahren und Anker werfen. Die Offiziere kamen an Bord und kontrollierten unter Silvers stets wachsamem Auge alle unsere Besitztümer. Flanna erklärte, dass das Genehmigungssystem eingeführt wurde, um Ausländer daran zu hindern, den Regenwald zu plündern, ohne dem Land irgendetwas zurückzugeben. Silver war der Ansicht, Regierungsangestellte würden die Genehmigungen benutzen, um sicherzustellen, dass sie ihren Anteil bekämen, bevor die Leute mit Sack und Pack über alle Berge wären.

Tagsüber manövrierte Silver das Boot in der Mitte des Flusses. Doc bot sich an, das Ruder zu übernehmen, damit Silver eine Pause machen könne, aber Silver sagte, er und Scarlet hätten alles unter Kontrolle. Gegen Abend suchte er einen guten Platz, etwa zehn Meter vom Ufer entfernt, wo er dann Anker warf. Wir hielten uns vom Ufer fern, um nicht bei lebendigem Leib von den Insekten gefressen zu werden. Wenn am Abend der Anker geworfen war, gingen wir baden, danach schmierten Doc und Flanna sich dick mit Insektenschutzmittel ein und fuhren mit Silvers aufblasbarem Beiboot ans Ufer, um sich umzusehen. Silver gefiel das gar nicht, aber sie einigten sich auf einen Kompromiss und erklärten sich bereit, eine Flinte mitzunehmen. Einige Male fuhr ich mit ihnen, ließ es aber wieder bleiben, als mir dämmerte, dass sie vielleicht lieber miteinander alleine sein wollten. Sie ließen das Gewehr jedes Mal im Beiboot zurück, aber das sagte ich Silver nicht.

Langsam hatte ich Flanna richtig gern, trotz meiner Skepsis, was die Romanze zwischen ihr und Doc anging – wenn man das so nennen konnte. Doc war seit Bills Tod nicht gerade in einer Stimmung, die ich romantisch nennen würde. Manchmal merkte ich, dass seine Haltung Flannas Gefühle verletzte, aber sie ging nicht näher auf das Thema ein und ließ ihm viel Freiraum. Sie war klug genug, um zu erkennen, dass das die einzige Methode war, mit meinem Vater umzugehen. Zweimal am Tag wechselte sie Docs Verbände und ignorierte dabei seine Klagen, während sie ihre besondere Salbe auf seine empfindliche Haut strich. Mir gegenüber war sie freundlich, ohne übertrieben freundlich zu sein, wofür ich ihr dankbar war. Ich schätze, sie wusste auch, wie sie mit mir umgehen musste.

Sie erzählte mir, dass sie in Irland geboren wurde, aber in Oregon aufwuchs. Das Interesse an der Botanik hatte sie von ihren Eltern, die eine große Pflanzenschule außerhalb Portlands besaßen. Nach deren Willen sollte sie Botanikerin werden und das Geschäft eines Tages übernehmen. Sie aber wollte Ärztin werden und reisen.

»Ich bin ihnen dann auf halbem Weg entgegengekommen«, sagte sie. »Ich wurde Botanikerin und habe mich auf die Heilpflanzen des Regenwalds spezialisiert.«

»Wo hast du klettern gelernt?«

»Wir hatten riesige Eichen auf unserem Grund. Als Kind habe ich auf denen mehr Zeit verbracht als auf dem Boden. Als mir das zu leicht wurde, fing ich mit dem Felsenklettern an, dabei habe ich gelernt, mit Seilen umzugehen, und die Technik habe ich dann für die Erforschung des Blätterdachs nur noch verfeinert.«

An den meisten Abenden verließ unser erster Maat, Scarlet, den Sitz im Ruderhaus und verbrachte die Nacht im Wald. »Landgang« nannte Silver das. Er wusste nicht, wohin sie zog oder was sie auf diesen nächtlichen Ausflügen trieb. Und es interessierte ihn auch nicht, solange sie nur vor Sonnenaufgang zurück war. »Und zwar nüchtern«, setzte er hinzu.

Er und Scarlet waren schon seit zehn Jahren zusammen. Er hatte sie einem Indio abgekauft, als sie noch nicht größer als seine Handfläche war. »Der hässlichste Vogel, den du je gesehen hast«, meinte er. »Ich wusste nicht mal, was für eine Art Papagei sie war, bis sie ausgewachsen war. Ich hab sie wochenlang alle zwei Stunden von Hand gefüttert.«

Silver hielt sich meistens von uns fern. Die Tage verbrachte er im Ruderhaus, die Nächte in seiner Kabine. Seit dem ersten Tag war es zu keinen Auseinandersetzungen mehr gekommen, aber es lag immer eine unterschwellige Anspannung in der Luft. Silver war anders als an Land – irgendwie gereizt und etwas nervös. Ein paar Mal hörte ich ihn spät nachts das Ruderhaus verlassen und an Deck kommen. Ich beobachtete ihn durch das Moskitonetz, während ich in der Hängematte lag. Er wiegte die Flinte in den Armen und machte ungefähr zehn Schritt, dann blieb er jedes Mal reglos stehen, als würde er auf etwas horchen. Ich hatte keine Ahnung, was er da eigentlich machte. Die einzigen Geräusche waren das unablässige Summen der Insekten und das Schlagen des Wassers gegen das Boot.

Eines Abends, nachdem Flanna und Doc ans Ufer gerudert waren, kletterte ich hinauf zum Ruderhaus, um mit Silver zu sprechen. Ich fand ihn in seiner Kabine, wo er vor dem Kartentisch saß und auf eine Skizze starrte. Vorsichtig begann ich die Unterhaltung mit einer Frage nach Colonel Fawcett und seiner Suche nach den verlorenen Minen von Muribeca. »Colonel Fawcett war ein mutiger Mann und ein großer Forscher«, sagte Silver. »Aber er jagte etwas hinterher, was es nie gegeben hat. Die ergebnislose Suche hat ihn umgebracht, seinen Sohn und dessen Freund. Das ist eine Tragödie, so alt wie der Regenwald.«

Über was ich mich jedoch eigentlich mit ihm unterhalten wollte, waren die Schnappschüsse von ihm und dem Indiojungen. Auf diesen Fotos sah Silver glücklich und entspannt aus, als sei er mit sich und der Welt im Reinen. Es war ein Bild, das sich sehr stark von dem angespannten und misstrauischen Silver unterschied, den ich kennen gelernt hatte. Ich ging zu demTisch hinüber, über dem die Fotos hingen.

»Was kann ich sonst noch für dich tun, Jake?«, fragte Silver.

»Ich habe mich gefragt, was es mit diesen Fotos auf sich hat. Waren Sie in Vietnam?«

»Drei Einsätze. Sondereinheit.«

»Und diese anderen Bilder, mit Ihnen und dem kleinen Jungen?«

»Das ist schon lange her«, sagte er und sein Blick schien sich in die Ferne zu richten. »Der Junge ist mein Sohn. Tito.«

»Wie Ihr Boot.«

Er nickte. »Seine Mutter – meine Frau – hieß Alicia. Sie war eine Huaorani aus Ekuador und wir lebten miteinander am Rio Curaray.«

»Was ist passiert?«

»Ich weiß es nicht genau«, sagte er. »Ich musste beruflich fort. Ich war drei Monate lang weg. Als ich zurückkam, waren sie nicht mehr da. Das war vor zehn Jahren.

Vielleicht ist Alicias Familie gekommen und hat sie überredet, mit ihnen anderswo zusammenzuleben. Ihre Verwandten waren nicht besonders angetan von mir – nicht, dass die meisten Indios irgendeinen Grund hätten, Weiße zu lieben.

Vielleicht hat sie sich aber auch einer anderen Gruppe Indios angeschlossen und ist mit ihnen im Urwald verschwunden. Sie hat ihre Leute vermisst.« Er hielt einen Augenblick inne. »Tito wäre jetzt etwas jünger als du.«

»Haben Sie nach ihnen gesucht?«

»Sehr lange, aber ich konnte sie nirgends finden. Es ist, als wären sie vom Erdboden verschwunden. Ich frage natürlich immer noch herum. Und ich habe mein Boot nach Tito benannt, in der Hoffnung, dass eines Tages ein junger Mann zu mir kommt, um mir zu sagen, dass das auch sein Name ist.«

Ich fragte mich, ob das wohl sein wahrer Grund für die Fahrt stromaufwärts war.

»Und damals kaufte ich Scarlet. Sie sollte ein Geschenk für den kleinen Tito sein.«

Er schaute zurück auf die Skizze. Ich wartete noch einen Moment, in der Hoffnung, er würde mir mehr erzählen, aber das tat er nicht. So ließ ich ihn allein.

12

Die Tage und Nächte gingen dahin und ich hätte nicht mehr sagen können, wie lange wir schon auf dem Fluss waren. Eines Nachmittags steuerte Silver das Boot, früher als gewöhnlich, auf das Ufer zu und warf den Anker.

»Was ist denn los?«, fragte Doc.

»Ich weiß es nicht«, erwiderte Silver. »Aber der Öldruck sinkt.« Er ging hinunter in den Maschinenraum und kam einige Stunden später öl- und schweißverschmiert zurück. »Wir müssen irgendwo anlegen und einen Mechaniker finden.«

Am nächsten Morgen brachte Silver die *Tito* an eine recht ausgedehnte Anlegestelle in der Nähe einer Bergwerkssiedlung. Silver packte sich die Flinte und sprang auf das Dock.

»Bleiben Sie im Boot«, warnte er. »Hier gibt es nichts als Ärger.«

Ich beobachtete ihn, wie er entschlossen das Dock entlangmarschierte. Jeder, an dem er vorüberging, machte ihm Platz. Als er am Ende des Docks angelangt war, nahm er einen ausgetretenen Pfad durch eine steile Böschung, von dem ich annahm, er würde in die Siedlung führen.

Entlang der Böschung standen mehrere kleine Hütten mit verrosteten Blechdächern. Wäsche flatterte im Wind. Gruppen von Kindern, die nichts anderes am Leib trugen als zerschlissene T-Shirts, spielten im schwarzen Uferschlamm und warfen Stöcke und Steine auf jeden räudigen Hund, der dumm genug war, in ihre Reichweite zu kommen. Die Luft war stickig. Es roch nach verfaulendem Fleisch und Obst, gemischt mit Öl und Urin.

Es drängte mich nicht danach, das Boot zu verlassen, ebenso wenig Flanna und Doc. Sie dösten in ihren Hängematten. Ich fragte mich, wie überhaupt jemand an einem solchen Ort leben konnte.

Nachdem ich die traurige Szenerie etwa eine Stunde lang betrachtet hatte, fing ich an mich zu langweilen und suchte nach dem Feldstecher. Ich wollte sehen, ob es mir gelänge, Silver zu entdecken, wenn er den Dschungelpfad herunterkam, bevor er das Dock erreichte.

Ich stellte die Linsen auf die Hügel scharf und suchte nach einer möglichen Lichtung im dichten Pflanzenwuchs, als ich einen Mann sah, der uns mit dem Feldstecher beobachtete! Sobald er mich sah, nahm er den Feldstecher vom Gesicht und ich konnte die Narbe sehen. Ich hätte schwören können, dass es sich um denselben Mann handelte, der in Silvers Kabine eingebrochen war. Ich hätte fast nach Doc und Flanna gerufen, hielt mich aber gerade noch zurück. Sie hatten ja keine Ahnung von dem Einbruch. Es war ein kleines Geheimnis zwischen Silver und mir. Wenn Doc zu diesem späten Zeitpunkt noch davon erführe, wäre er auf mich und Silver sehr böse. Die Expedition konnte dieses zusätzliche Problem nun wirklich nicht brauchen.

Der Mann ging jetzt den Pfad entlang, in die gleiche

Richtung, die auch Silver eingeschlagen hatte. Ich musste Silver Bescheid geben, dass der Mann hier war. Ich schaute zurück zu Doc und Flanna – beide schliefen tief und fest. Ich sprang auf das Dock und rannte los.

Der Pfad war steil und schlammig. Als ich oben angekommen war, schöpfte ich erst einmal Atem. Kein Anzeichen von dem Mann. Ich lief weiter und eine halbe Meile später war ich in der Stadt. Nichts hätte mich darauf vorbereiten können, was ich jetzt sah. Hunderte von Männern standen in tiefem, stinkendem Schlamm herum oder stapften durch ihn hindurch. Die meisten von ihnen trugen Pistolen oder Macheten. Es gab keine echten Straßen – einfach nur dutzende von Hütten mit schmalen Durchgängen. Silver irrte: Es war nicht wie der Wilde Westen; es war wie auf einem anderen Planeten.

An diesem Ort würde ich Silver niemals finden können. Ich konnte nicht einmal jemanden fragen, weil ich kein Portugiesisch sprach. Die beste Möglichkeit war noch, einfach zu warten und Silver auf dem Rückweg abzufangen. Ich schaute noch einmal auf die Männer, die da herumstanden, und fragte mich dabei, was sie an diesem elenden Ort zu suchen hatten. Und dann sah ich den Mann wieder. Zumindest glaubte ich, dass es sich um ihn handelte. Er ging einen engen Pfad hinauf, der sich hinter der Siedlung einen Hügel hochschlängelte. Ich würde ihn unmöglich erreichen, bevor er oben angekommen war, aber ich würde eine Vorstellung davon bekommen können, wohin er ging. Ich lief bis zu dem Pfad hinüber und machte mich an den Aufstieg.

Ein unablässiger Strom von ausgezehrt wirkenden Männern stieg an mir vorbei den Weg hinunter. Sie waren über und über mit getrocknetem Schlamm bedeckt. Was machten sie da oben?, fragte ich mich. Als ich oben angekommen war, wusste ich es.

Der Pfad endete an einer riesigen Grube. Das Loch war fünfmal so groß wie ein Fußballplatz und mindestens hundert Meter tief. Hunderte von Männern schwangen Hacken und gruben Steine aus vielleicht drei Quadratmetern großen Bodenflächen. Das Gestein wurde in große Leinensäcke gepackt. Die Männer ohne Hacke oder Schaufel hievten sich die Säcke auf die Schultern, dann warteten sie in einer Reihe, um über eine Folge von wackeligen Leitern, die zum oberen Rand der Grube führten, hinaufzuklettern. Oben kippten sie ihre Säcke in hölzerne Waschkisten, dann kletterten sie wieder in die Grube hinunter und fingen von vorn an.

Sie gruben nach Gold und jedes der winzigen Stückchen Boden war ein Claim. Die Männer, die die Steine schleppten, waren wahrscheinlich Tagelöhner, die für ein paar Pence schufteten. Während ich zusah, verlor ein Mann auf einer Leiter seine Ladung. Das löste eine Kettenreaktion aus und ein halbes Dutzend Männer stürzte mehrere Meter tief auf den felsigen Boden. Die Arbeit wurde nicht einmal für kurze Zeit unterbrochen. Die Leiter wurde lediglich wieder aufgerichtet und innerhalb von Sekunden war sie voller Männer, die Säcke schleppten, die mehr wogen als sie selbst.

Es war das Deprimierendste, was ich je gesehen hatte. Plötzlich war es mir egal, ob ich den Mann mit der Narbe finden würde. Ich wollte nur noch zurück zum Boot. Ich hoffte, Silver würde bald zurückkommen, damit wir ablegen konnten.

Auf dem Weg zurück durch die Stadt sah ich eine

Gruppe von Männern, die im Kreis um einen Indio herumstanden und ihn anschrien und auslachten. Einer der Männer schlug dem Indio ins Gesicht, sodass dieser zu Boden fiel. Als ich das sah, passierte etwas in mir. Es war beinahe, als hätte der Mann mich statt des Indios geschlagen.

»Lassen Sie ihn in Ruhe!«, schrie ich. Ich drängte mich durch den Kreis und sah dem Mann, der dem Indio den Hieb versetzt hatte, ins Gesicht. Er schaute mich an und lachte. Ich schlug ihm in den Magen, so fest ich konnte. Der Mann war wie gelähmt, allerdings nicht wegen des Schlages. Ich versuchte dem Indio beim Aufstehen zu helfen, aber jemand zerrte mich von ihm weg. Der Mann, den ich geschlagen hatte, schrie mich auf Portugiesisch an, dann gab er mir eine Ohrfeige. Ich versuchte mich loszureißen, aber der Mann, der mich festhielt, war zu stark. Der erste Mann schlug mich noch einmal. Er wollte gerade zum dritten Mal zuschlagen, als ein lauter Knall ertönte – seine Hand hielt mitten im Ausholen inne.

Es war Silver. Er lud seine Flinte durch, richtete den Lauf auf die Brust des Mannes und sagte etwas zu ihm. Der Mann erwiderte etwas. Silvers Finger legte sich enger um den Abzug. Der Mann nahm beide Hände hoch und sagte noch etwas. Er drehte sich zu mir um und lächelte, dann strich er mir ein paar Mal durch die Haare, als wäre alles nur ein Scherz gewesen. Silver lächelte nicht. Der Mann, der mich festhielt, lockerte seinen Griff.

»Sie haben den Indio verprügelt«, sagte ich. Ich sah mich nach dem Indio um, aber der hatte sich verdrückt.

»Das haben sie nicht zum ersten Mal getan«, sagte Silver. Er zielte unbeirrt auf den Mann. »Ich dachte, ich hätte dir befohlen, auf dem Boot zu bleiben.«

»Ich weiß, aber ich habe gesehen –«

»Was ist hier los, Jake?« Das war Doc, ganz außer Atem vom Laufen über den Pfad.

»Was machen Sie hier?«, fragte Silver ihn.

»Ich bin aufgewacht und Jake war nicht da, also ging ich ihn suchen.«

»Und wer bewacht das Boot?«

»Flanna ist da unten.«

»Das ist ja phantastisch!«, rief Silver aus. »Eine Frau, die Waffen verabscheut, bewacht mein Boot.«

Die Menge, die sich zusammengeschart hatte, löste sich langsam auf. Silver senkte die Flinte und der Mann ging davon. Tut mir Leid, kein Blutvergießen heute, dachte ich. Silver drückte Doc die Flinte in die gesunde Hand. »Wenn ihr beide mit der Stadtbesichtigung fertig seid, dann kommt zurück, damit wir die Kreuzfahrt fortsetzen können.« Er ging davon, dicht gefolgt von einem nervösen kleinen Männchen mit einer Werkzeugkiste.

Doc sah sich um. »Was hast du hier oben gemacht?«

»Ich wollte mir nur die Beine vertreten.«

»Einen deprimierenderen Platz dafür hättest du dir gar nicht aussuchen können.«

»Dabei hast du das Schlimmste noch gar nicht einmal gesehen«, sagte ich und erzählte ihm von der Goldgrube und von dem Indio, den sie geschlagen hatten.

»So kannst du schnell dein Leben verlieren, Jake. Wir kehren lieber zum Boot zurück, bevor Captain Bligh ohne uns ablegt. Ich möchte hier lieber nicht festsitzen.«

»Was Sie nicht sagen, Mister!«, sagte jemand hinter uns. Wir drehten uns um. Der Mann war etwas über einen Meter fünfzig groß. Er hatte lange, gelockte schwarze Haare und einen strähnigen Bart, außerdem fehlten ihm die Schneidezähne.

»Ich wollte Sie nicht belauschen«, sagte er. »Amerikaner?«

Doc nickte.

»Dachte ich mir. Und Sie sind neu in der Stadt?«

»Nur auf der Durchreise.«

»Fahren Sie stromauf- oder -abwärts?«

»Aufwärts.«

»Ach.« Er wirkte enttäuscht, dann fiel ihm etwas ein. »Aber Sie werden zurückkommen. Hochmut kommt vor dem Fall, was aufsteigt, fällt auch wieder herunter.« Er lachte über seinen Scherz.

»Wir müssen jetzt weiter«, erklärte Doc. Wir wandten uns zum Pfad und der Mann schloss sich uns an.

»Ich heiße Fred Stoats.«

»Nett, Sie kennen zu lernen, Fred«, sagte Doc. Wir hielten nicht an.

»Ich hänge seit zwei Jahren hier fest. Hab einen Claim gehabt… Ich hatte sogar drei Claims, hab sie aber alle verloren. Und seitdem schleppe ich wie ein dressierter Affe Steinsäcke aus dem Höllenloch. Ich will genug Geld zusammenkratzen, um wieder flussabwärts fahren zu können. Muss zurück in die guten alten U. S. of A., meine Frau und das kleine Mädchen wieder sehen. Die ist richtig krank.«

Doc blieb stehen. »Wer ist krank? Ihre Frau oder Ihre Tochter?«

»Die Kleine. Little Mary nennen wir sie. Hat Krebs. Fehlt mir schrecklich.«

Doc sah ihn an und versuchte herauszufinden, ob er die Wahrheit sagte.

»Brauchen Sie Hilfe auf dem Boot?«, fragte Fred.

»Kann ich mir nicht vorstellen.« Doc ging wieder weiter. Er kaufte Fred diese Geschichte nicht ab, ebenso wenig wie ich.

»Das war richtig nett, was du für Raul getan hast«, sagte er zu mir.

»Für wen?«

»Den Indio. Er heißt Raul.«

»Ach.« Wir waren am oberen Ende des Pfades angelangt.

»Diese Typen haben ihm wegen des Jaguars so zugesetzt«, meinte Fred noch.

Das ließ uns auf der Stelle stehen bleiben.

»Welcher Jaguar?«, fragte Doc.

»Junge, Junge, ihr Typen seid aber wirklich neu in der Stadt! Der Jaguar, der nachts die Hunde reißt. Der Jaguar, den jeder in die Finger kriegen will, wegen der Belohnung und der Wetteinsätze.«

Fred hatte inzwischen ein höchst aufmerksames Publikum. Docs Augen leuchteten wie Fackeln. Wir gingen nicht weiter. Fred erklärte dann, dass einer der Ladenbesitzer fünfzig Dollar für das Fell des Jaguars ausgesetzt hätte. Und derselbe Ladenbesitzer verwaltete auch die Wetteinsätze. Für einen Dollar konnte man das Gewicht des Jaguars schätzen. Derjenige, dessen Schätzung am genauesten war, bekäme am Ende alle Einsätze.

»Wie lange ist der Jaguar schon in der Gegend?«, fragte Doc.

»Etwa zwei Monate. Sie haben einfach alles versucht, um das Biest umzubringen. Sie haben Ziegen als Köder festgebunden und sich die ganze Nacht in Jagdunterständen versteckt, sie haben Fallen aufgestellt… Sogar vergiftetes Fleisch haben sie ausgelegt. Aber nichts hat was gebracht, bloß die Idee mit dem vergifteten Fleisch hat uns ein paar Hunde gekostet. Keiner hat den Jaguar auch nur gesehen. Er fällt auf uns herab wie Nebel und verzieht sich wie Rauch.«

»Und wie kommen Sie darauf, dass es ein Jaguar ist?«, fragte Doc.

»Ha! Kommen Sie mit.« Er führte uns zurück in die Stadt und wir folgten ihm auf seinem Zickzackkurs zwischen verschiedenen Schuppen hindurch. »Da!«, rief er und deutete auf den Boden.

Doc ging in die Hocke und betrachtete den Pfotenabdruck im Schlamm. »Das ist allerdings ein Jaguar.«

»Der ist noch ganz frisch, von gestern Abend.«

»Und was ist nun mit diesem Raul?«

»Es geht das Gerücht, dass er ziemlich gut darin ist, Katzen aufzuspüren. Ich weiß nicht, ob das stimmt, aber die Leute behaupten es. Das Blöde ist: Raul will nichts damit zu tun haben. Geld interessiert ihn nicht und er meint, man soll den Jaguar in Ruhe lassen. Die Männer waren gerade dabei, ihn zu überreden, ihnen doch noch zu helfen, als Ihr Sohn vorbeikam.«

»Ich würde mich gern mit Raul unterhalten«, sagte Doc.

Fred zupfte einen Moment lang an seinem Bart herum. »Na ja, ich könnte Sie schon zu ihm bringen«, meinte er. Er warf einen Blick auf sein Handgelenk, als wolle er nachschauen, wie spät es war. Das Dumme war nur, dass er keine Uhr trug. »In ein paar Minuten habe ich eine wichtige Verabredung. Die würde ich nur sehr ungern verpassen. Ich treffe mich da mit einem Typen, der womöglich meine Fahrkarte nach Hause ist.«

Doc griff tief in seine Tasche und holte einen Zwanzigdollarschein heraus. Fred riss ihn ihm aus den Fingern und stopfte ihn in die eigene Tasche, bevor Doc es sich noch einmal anders überlegen konnte. »Raul wohnt unten im Indiolager. Ist gar nicht weit weg.«

Er führte uns zu einem Pfad auf der anderen Seite der Stadt. Die Unterkünfte der Indios waren noch schlechter als die der Weißen, was schwer vorstellbar war. Trotz der Hitze drängten sich die Menschen um qualmende Feuer, um die Insekten fernzuhalten. Kinder mit aufgedunsenen Bäuchen rannten völlig nackt herum. Mir fielen hässliche rote Narben auf ihren Beinen und Armen auf und ich fragte Fred, woher die kämen.

»Piranhabisse«, erklärte er. »Die Viecher fressen einen zwar nicht auf wie in den Filmen, aber wenn sie Hunger haben, dann können die schon mal ein saftiges Stückchen Fleisch raushauen.«

»Warum leben diese Leute nicht mit den anderen in der Stadt?«

»Die leben nach ihrer Art und wir nach unserer. Wenn man getrennt lebt, gibt's weniger Streit. Etwas weniger jedenfalls.«

Es war offensichtlich, dass wir nicht willkommen waren. Männer und Frauen betrachteten uns mit abgestumpften, feindlichen Mienen. Die meisten von ihnen waren am ganzen Körper tätowiert, auch im Gesicht. Fast jeder, an dem wir vorbeikamen, hatte einen golfballgroßen Klumpen Tabak oder etwas in der Art in den Backen. Viele von ihnen spuckten braunen Saft aus, als wir vorübergingen.

»Gar nicht beachten«, sagte Fred. »Das ist halt so ihre Art.«

Wir blieben an einem Schuppen stehen, der an einen Baum gebaut war.

»Raul!«, rief Fred und fügte noch etwas auf Portugiesisch hinzu. »Er kann kein Englisch und bloß ganz wenig Portugiesisch.«

Raul kroch aus dem Schuppen, hockte sich auf den Boden und sah zu uns hoch. Sein rechtes Auge war völlig zugeschwollen. Er schien mich nicht wieder zu erkennen. Wie die anderen Indios war er an den Armen und im Gesicht tätowiert. Zu beiden Seiten seiner Oberlippe hatte er drei tätowierte Linien, die wie die Barthaare einer Katze aussahen. Zwei junge Mädchen, nicht älter als sechs oder sieben Jahre, spähten hinter dem Baum hervor. Ein paar Leute schlenderten herbei, um zu sehen, was los war. Schnell gesellten sich andere dazu.

»Sagen Sie ihm, dass er mir helfen soll, den Jaguar zu fangen«, wies Doc Fred an. »Sagen Sie ihm, ich werde den Jaguar nicht töten. Ich benutze ein Medikament, von dem das Tier einschläft. Wenn der Jaguar aufwacht, lasse ich ihn wieder frei, an einem weit entfernten Ort, an dem er in Sicherheit ist.«

»Sie verlangen ganz schön viel«, sagte Fred, der an seinem Bart zupfte und auf sein Handgelenk schaute.

»Ich gebe Ihnen Geld, wenn wir wieder gehen«, erklärte Doc ihm. Fred gestikulierte, während er sprach, um sicherzugehen, dass Raul auch alles verstünde. Fred schien einige Schwierigkeiten zu haben, den Teil mit der Betäubung und dem Aufwachen zu erklären, schaffte es aber schließlich doch, sich verständlich zu machen. Raul sah ihm teilnahmslos zu. Mehrere Male warf er kurze Blicke auf Doc und auf mich. Schließlich kam Fred zum Ende seiner Rede. Raul blickte starr in die Ferne. Wir schienen eine Ewigkeit zu warten. Niemand sagte etwas – selbst das Spucken hörte auf. Raul wandte den Kopf Doc zu und sagte etwas. Dann rief er eines der Mädchen, die hinter dem Baum standen, zu sich und flüsterte ihm etwas ins Ohr. Sie und ihre Freundin rannten kichernd davon.

Fred schüttelte den Kopf. »Er sagt nein.«

»Sind Sie sicher, dass Sie es ihm auch richtig erklärt haben?«

»Aber klar doch. Er will Ihnen nicht helfen. Wir gehen lieber.«

Doc wollte nicht gehen. »Sagen Sie ihm, der Jaguar wird sterben, wenn er mir nicht hilft, ihn zu betäuben.«

»Das habe ich schon getan«, beharrte Fred.

»Dann tun Sie's noch mal!«

Fred rollte mit den Augen, dann sagte er noch ein paar Worte. Raul schüttelte den Kopf, dann kroch er wieder in seinen Schuppen. »Tut mir Leid«, sagte Fred. »Aber mein Geld bekomme ich trotzdem.«

»Sie werden es bekommen.«

Wir gingen durch das Lager zurück. Das Spucken begann von neuem und die Leute fingen an zu murmeln und zu kichern, während wir vorbeigingen. Mir war äußerst unbehaglich zu Mute. Den Indios ging es wahrscheinlich jeden Tag genauso, wenn sie auf dem Weg zur Goldgrube durch die Siedlung liefen.

Als wir wieder in der Stadt waren, gab Doc Fred einen Fünfdollarschein. »Und Sie sind ganz sicher, dass Sie auf dem Boot keine Hilfe brauchen?«, wollte Fred wissen. »Ich würde echt gern von hier abhauen.«

»Ich fürchte, das geht nicht.«

»Na gut«, meinte Fred. »Vielleicht habe ich ja das richtige Gewicht der Katze getippt. Wissen Sie, es schadet gar nichts, dass Sie den Jaguar nicht kriegen. Das wäre bei den meisten Leuten hier gar nicht gut angekommen, wenn Sie den lebend geschnappt hätten.«

Doc und ich gingen zum Pfad, der zu den Docks hinunterführte. Etwa auf halbem Weg nach unten hörten wir jemanden hinter uns herrufen. Es waren die beiden Mädchen, die bei Raul gewesen waren. Sie holten uns ein. Eines von ihnen hielt die Hände hinter dem Rücken verborgen. Sie zog eine Hand hervor und gab mir ein Stück Schnur.

»Was ist das?«

Mit der anderen Hand ließ sie nun einen großen stahlblauen Schmetterling frei. Er war wunderschön. Die beiden Mädchen kicherten und liefen wieder den Pfad hinauf. Doc und ich sahen dem Schmetterling zu, wie er hin und her flatterte und versuchte sich zu befreien.

»Morphofalter«, sagte Doc.

Mit der freien Hand holte ich mein Taschenmesser aus der Hose. Doc half mir, die Schnur durchzuschneiden, und der Morphofalter tanzte davon, hinein in das, was vom Regenwald noch übrig war.

13

»Ich war schon drauf und dran, euch suchen zu gehen«, sagte Flanna, als wir wieder an Bord kamen.

Doc berichtete ihr, was passiert war.

»Bist du sicher, dass dieser Fred die Situation richtig erklärt hat?«

Doc verstand Portugiesisch zwar nicht sehr gut, meinte aber doch, Raul hätte alles verstanden. Silver kam kurz von unten herauf, um etwas aus dem Ruderhaus zu holen, dann ging er wieder unter Deck, ohne ein einziges Wort zu uns zu sagen.

»Wie sieht's mit der Maschine aus?«, fragte Doc.

»Silver und der Mechaniker streiten schon miteinander, seit sie da unten sind. Der kleine Mann tut mir richtig Leid. Silver schätzt, wir werden irgendwann morgen früh ablegen.«

»Silver wird ihn schon nicht fressen. Er braucht ihn, um die Maschine wieder hinzukriegen.« Doc setzte sich auf seine Hängematte. Flanna holte ihren Medizinkoffer und fing an ihm den Verband zu wechseln.

»Ich muss irgendetwas wegen dieses Jaguars unternehmen«, sagte Doc zu ihr. »Das einzige Problem ist die Zeit. Wenn wir ihn nur schnell einfangen könnten. Wir würden so viel herausfinden, wenn wir seine Bewegungen im Reservat verfolgen könnten – der Jaguar wäre wie ein Führer. Das ist alles so furchtbar frustrierend!«

Doc war überhaupt nicht frustriert. Er war aufgekratzt. So glücklich war er nicht mehr gewesen, seit wir Manaus verlassen hatten.

»Wir haben nicht genügend Zeit, um ihm eine Falle zu stellen und ihn lebend zu fangen, und wahrscheinlich würden uns die Einheimischen ohnehin in die Quere kommen«, fuhr er fort. »Sie wollen sein Fell.«

»Hast du Raul Geld angeboten?«

»Er scheint nicht an Geld interessiert zu sein.«

»Vielleicht könnte ich hinaufgehen und mit ihm reden«, schlug Flanna vor. »Ich kann ein paar Brocken verschiedener Dialekte. Ein Tier zu betäuben ist eine Vorgehensweise, die nicht leicht zu verstehen ist. Vielleicht hat er es missverstanden.«

»Es könnte einen Versuch wert sein«, meinte Doc. »Lass uns was essen und dann gehen wir noch einmal ins Lager.«

Wir brauchten gar nicht noch einmal in das Lager der Indios zu gehen, denn Raul kam zu uns. Und er kam nicht über das Dock; er kam über den Fluss, in einem Einbaum. Während wir aßen, hörten wir von der Steuerbordseite ein Klopfen. Zuerst dachten wir, es wäre ein Geräusch, das vom Reparieren der Maschine heraufdrang. Das Klopfen wurde eindringlicher und ich schaute über die Bordwand. Da stand Raul in seinem Kanu und klopfte an den Rumpf wie an eine Haustür.

»Wir haben Besuch«, verkündete ich.

Im Kanu befanden sich zwei weitere Männer. Sie hoben Raul auf die Schultern, sodass er an die Reling greifen konnte. Flanna und ich halfen ihm das restliche Stück herauf.

Als er an Deck war, sah er nervös zur Anlegestelle hinüber und flüsterte etwas.

»Er sagt, er ist über das Wasser gekommen, um nicht aufzufallen«, übersetzte Flanna. »Sein Portugiesisch ist hervorragend.«

Doc ließ schnell das Moskitonetz herunter und Raul entspannte sich ein wenig.

Raul redete einige Minuten lang leise auf uns ein. Flanna hörte zu, stellte Fragen, machte Bemerkungen, lächelte, lachte sogar ein paar Mal. Als er alles gesagt hatte, meinte sie: »Ich gebe euch die Kurzfassung. Raul ist sicher, dass er dir helfen kann, den Jaguar zu fangen. Er hat dir das heute Nachmittag nicht gesagt, weil er fürchtet, ein paar von den Jägern in der Stadt könnten versuchen, ihn davon abzuhalten, wenn sie davon erführen. Aber bevor er seine Zustimmung gibt, hat er noch ein paar Bedingungen.«

»Phantastisch!«, sagte Doc. Er war sehr aufgeregt und es tat gut, das zu sehen.

»Erstens will er die Betäubungspfeile sehen und du sollst ihm erklären, wie sie funktionieren.«

»Kein Problem.«

»Wenn ihr den Jaguar gefangen habt, will er ihn in die Stadt bringen und ihn wiegen lassen.«

»Wieso das?«

»Den Teil habe ich auch nicht ganz verstanden, aber ich glaube, er will die Leute in der Stadt beruhigen, die gewettet haben.«

»In Ordnung«, sagte Doc, aber die Vorstellung behagte ihm offensichtlich gar nicht. Ich bin sicher, er hätte es vorgezogen, den Jaguar zu schnappen und einfach abzuhauen.

»Und schließlich«, fuhr Flanna fort, »will Raul mit uns zum Reservat kommen und mit ansehen, wie der Jaguar freigelassen wird.«

Damit hatten Doc und ich nicht gerechnet.

»Traut er uns etwa nicht?«, fragte Doc.

»Das ist nicht der Grund, glaube ich.«

»Ist ihm klar, dass wir mindestens ein paar Monate lang im Reservat bleiben werden?«

»Ja, und er will trotzdem mitkommen.«

Darüber musste Doc eine Weile nachdenken. »Silver

wird gar nicht begeistert sein, aber er ist nicht der Leiter der Expedition. Sag Raul, wenn wir den Jaguar nicht kriegen, kommt er auch nicht mit uns.«

Flanna erklärte es ihm.

Raul nickte, dann sagte er: »Ich kriege Jaguar.« Ich schätze, er sprach auch ein bisschen Englisch.

Doc holte sein Betäubungswerkzeug heraus.

»Du wirst es unserem Gast vorführen müssen, Jake. Einhändig schaffe ich das nicht.«

Flanna erklärte, wie alles funktionierte, während ich die Pfeile zusammensetzte. Die Pfeile, die man für Großkatzen verwendet, sind etwa acht Zentimeter lang. Der Schaft, in dem das Betäubungsmittel steckt, besteht aus einem Aluminiumröhrchen, in dessen Innenseite an beiden Enden Gewinde eingefräst sind. Die Röhrchen sind wieder verwendbar. Ich steckte einen Gummibolzen in ein Ende des Schafts. Dann nahm ich eine Zündkapsel aus Messing, ungefähr Kaliber 22, und setzte sie in den Bolzen. Ich schraubte eine Hülle darüber. Am Ende der Hülle steht ein Büschel Baumwolle über, mit dem das Luftgewehr den Pfeil aus dem Lauf presst.

Ich drehte den Schaft um, damit ich das Betäubungsmittel einfüllen konnte. Flanna zeigte Raul die Ampulle mit dem Mittel und versuchte ihm zu erklären, wie es wirkte. Er betrachtete die Flasche sorgfältig und war von diesem Teil der Prozedur offensichtlich etwas verwirrt. Doc sagte mir, wie viel von jedem einzelnen Mittel ich in den Schaft füllen musste. Als er voll war, schraubte ich die Nadel auf das Ende auf.

Doc zeigte Raul das Pfeilgewehr. Er hielt die Hand über den Lauf und zog den Abzug, um Raul zu beweisen, dass es ohne den Pfeil darin harmlos war. Raul legte die eigene Hand über das Ende des Laufs und nickte Doc zu, er solle abdrücken. Er lächelte, als er den Luftschwall spürte. Er sagte etwas zu Flanna und sie lachte.

»Er meint, es funktioniert wie ein Blasrohr.«

»Genau.«

Als die Demonstration beendet war, stieg Raul wieder über die Bordwand und kletterte zurück in sein Kanu. Er sagte, er würde am nächsten Tag irgendwann vor Sonnenaufgang zurückkehren.

»Was werden wir Silver sagen?«, fragte ich.

»Im Augenblick noch gar nichts«, entschied Doc. »Darüber können wir uns später den Kopf zerbrechen, *falls* wir den Jaguar fangen. Die Chancen dafür stehen ziemlich schlecht.«

Raul kam ungefähr eine halbe Stunde vor Sonnenaufgang. Er trug einen kleinen, dreckigen Baumwollbeutel über der Schulter. Diesen Beutel gab er mir und sagte etwas zu Flanna.

»Das sind seine Sachen für die Fahrt stromaufwärts«, erklärte Flanna.

Der Beutel war so gut wie leer. Raul hielt wohl nichts von schwerem Gepäck. Ich legte ihn unter meine Hängematte. Raul brachte drei Kanus und drei Männer mit, die uns helfen sollten. Wir ließen die Ausrüstung leise zu ihnen hinunter, um Silver nicht zu wecken. Ich fürchtete, Scarlet würde uns hören und anfangen zu kreischen, aber sie war wohl wieder einmal auf Landgang.

Als wir in den Kanus waren, stießen die Männer ab und begannen gegen die Strömung zu paddeln. Es war eine sehr dunkle Nacht und ich konnte kaum etwas erkennen, aber für die paddelnden Männer schien es kein Problem zu sein, durch die Finsternis zu steuern. Insekten umschwärmten uns, trotz des Schutzmittels, mit dem wir uns eingekremt hatten. Wir paddelten einige Meilen flussaufwärts, bis wir an einen schmalen Seitenarm kamen. Diesem Seitenarm folgten wir eine weitere Meile, dann hielten wir. Raul stieg aus und bedeutete uns, in den Kanus zu bleiben. Er ging in den Wald und blieb etwa eine halbe Stunde lang verschwunden. Als er endlich wiederkam, war es schon hell. Er unterhielt sich leise flüsternd mit Flanna.

»Er sagt, der Jaguar ist ein Weibchen.«

»Woher will er das wissen?«, fragte Doc.

Flanna zuckte die Schultern. »Wir sollen ihm mit dem Gewehr und den Pfeilen folgen. Wenn wir den Jaguar haben, wird er die anderen Männer rufen, damit die den Rest der Ausrüstung bringen.«

Raul bewegte sich mit der Anmut eines Rehs durch den Wald. Seine Zehen waren weit gespreizt und standen in seltsamen Winkeln ab, weil er schon sein Leben lang barfuß in unebenem Gelände lief. Er erreichte eine kleine Lichtung und hielt an. Flüsternd unterhielt er sich mit Flanna.

»Er will wissen, wer den Pfeil auf den Jaguar abschießt.«

»Jake ist der Schütze«, sagte Doc. »Mit meiner kaputten Hand kann ich das nicht selbst machen.«

Doc hatte mir schon als kleinem Kind beigebracht, wie man mit dem Betäubungsgewehr umgeht.

»In Ordnung«, sagte Flanna. »Wir sollen hier warten und uns versteckt halten. Raul wird Jake weiter oben in Stellung bringen und den Jaguar dann zu ihm rufen.«

»Er wird den Jaguar rufen?«, fragte Doc verblüfft.

»Das hat er gesagt.«

»Das muss ich sehen. Hier, nimm, Jake.«

Ich ließ einen geladenen Pfeil in den Gewehrkolben gleiten. »Ich bin soweit.«

»Du wirst nur eine einzige Chance haben.«

Ich nickte und folgte Raul tiefer in den Wald hinein. Er blieb an einem riesigen Baum stehen und ließ mich hinter einem Büschel Kletterpflanzen beim Stamm Aufstellung nehmen. Dann deutete er auf einen vielleicht sieben Meter entfernten Punkt. Ich schätzte, er glaubte, dort würde der Jaguar auftauchen. Ich legte mich auf den Bauch. Dann entsicherte ich und führte den Gewehrkolben an die Schulter.

Raul verschwand rechts von mir aus meinem Blickwinkel. Lange Zeit passierte nichts. Schweiß tropfte mir von der Stirn. Insekten umschwirrten mich und ich musste meine ganze Willenskraft aufwenden, um sie nicht fortzuscheuchen. Rechts von mir hörte ich einen Vogel schreien. Ich fragte mich, wann Raul wohl anfangen würde. Der Vogel schrie wieder und mir wurde klar, dass Raul längst angefangen hatte! Ich wusste zwar nicht, welchen Vogel er imitierte, aber der Schrei hörte sich auf jeden Fall echt an.

Mehrere Minuten vergingen. Mein Nacken begann sich zu verkrampfen. Ich fragte mich langsam, woher Raul wusste, wo der Jaguar auftauchen würde. Was, wenn das Raubtier hinter mir erschien? Oder zu meiner Linken? *Hör auf damit, Jake! Du musst dich wie beim Pirschen verhalten. Atme. Konzentrier dich auf den Punkt. Es gibt nichts als diesen einen Punkt…*

Ich sah, wie sich in der Palmengruppe vor mir ein Blatt bewegte. Der Wald veränderte sich, als hätte jemand den

Ton leiser gestellt. Das Jaguarweibchen war hier. Sie wollte den Vogel. Ihren Kopf sah ich zuerst – gelbes Fell mit schwarzen Tupfen und golden leuchtenden Augen. Ihr kraftvoller Leib bewegte sich eng am Boden, während sie jede einzelne Pfote mit unendlicher Sorgfalt platzierte, bevor sie den nächsten Schritt tat. Ich bewegte mich nicht. Ich atmete in tiefen, langsamen Zügen. Ich wollte den Pfeil in ihren dicken Lendenmuskel setzen.

Warte, bis du sicher bist. Warte…

Plopp! Ich hatte den Abzug nicht bewusst gezogen. Das Geräusch irritierte mich. Als der Pfeil eindrang, machte sie einen Satz und ließ ein markerschütterndes Brüllen hören. Wütend biss sie nach dem Pfeil in ihrer Lende und riss ihn sich heraus. Sie leckte die Wunde, dann lief sie davon. Ich wartete. Fünf Minuten vergingen. Jemand berührte meine Schulter. Raul. Ich stand auf und rieb meinen steifen Hals. Doc und Flanna kamen zu uns.

»Guter Schuss, Jake.« Doc schaute auf die Uhr. »Geben wir ihr noch ein paar Minuten, um sicherzugehen, dass sie auch vollständig betäubt ist.« Flanna erklärte Raul, was wir taten.

Wir fanden sie ungefähr fünfzig Meter entfernt, sie lag auf der Seite.

Rauls Männer kamen mit dem Medizinkoffer und der Trage, um sie zurück zum Boot zu transportieren. Doc kontrollierte die Atmung des Jaguars und strich eine Salbe in die geöffneten Augen, damit sie nicht austrockneten. Er sah sich die Zähne des Tiers an.

»Ich würde sagen, sie ist vier oder fünf Jahre alt. Wenn sie eine Sie ist.« Er hob ihren Hinterlauf an. »Verdammt!«

»Was ist?«

»Sie hat Milch und das heißt, da müssen irgendwo noch Junge sein.«

Flanna erklärte Raul die Lage. Er nickte und verschwand mit einem seiner Männer im Wald. Etwa zehn Minuten später kehrte Raul allein zurück.

»Er hat die Jungen gefunden«, berichtete Flanna. »Er meint, es wären zwei.«

Er führte uns zum Bau, der unter einem Baum in der Nähe eines Bachlaufs war. Doc bückte sich und leuchtete mit seiner Taschenlampe hinein. »Zwei Augenpaare. Ich würde schätzen, drei bis vier Monate alt – kurz davor, entwöhnt zu werden. Sie hat ihnen wahrscheinlich seit Wochen Hundefleisch mitgebracht. Es wird eine Weile dauern, sie hier rauszuholen. Vielleicht sollten wir lieber die Mutter zum Boot bringen, bevor die Wirkung nachlässt, und dann erst zurückkommen, um die beiden zu holen. Wir könnten ein paar Kisten mitbringen, in die wir die Jungen dann stecken. Ich glaube zwar nicht, dass sie den Bau verlassen werden, aber einer sollte sicherheitshalber trotzdem hier bleiben.«

Flanna redete mit Raul und er befahl einem seiner Männer, auf den Bau aufzupassen.

Wir trugen das Weibchen zu den Kanus und paddelten zurück zur Goldgräbersiedlung. Kaum waren wir angekommen, da verbreitete sich schon die Nachricht von unserem Fang und ein Strom von Menschen rannte den Pfad hinunter, um sich den Jaguar anzusehen.

Doc wollte das Tier sofort an Bord und in den Käfig bringen, den wir letzte Nacht zusammengebaut hatten, aber Raul hielt ihn zurück und deutete den Pfad hinauf.

»Ihr habt eine Abmachung«, erinnerte Flanna Doc.

»Ich weiß, aber das macht einfach keinen Sinn. Es ist das Beste für den Jaguar, ihn sofort auf das Boot zu bringen.«

Er sah Raul an. Es war eindeutig, dass Raul von Doc erwartete, den Jaguar in die Stadt zu bringen. Doc seufzte.

»Wir müssen uns beeilen«, meinte er. »Sie wird sehr bald wieder aufwachen.«

Silver kam mit seiner Flinte das Dock heruntergelaufen. Er schaute auf den Jaguar. »Heute Morgen habe ich den Käfig an Deck gesehen«, sagte er. »Ich hätte wissen müssen, dass so etwas passiert.«

Dabei wusste er nur die Hälfte.

»Wir müssen sie wegbringen, um sie wiegen zu lassen«, erklärte Doc. Er berichtete von der Abmachung, die er mit Raul getroffen hatte, überging aber den Teil von Rauls Weiterreise mit uns.

Silver schüttelte den Kopf. »Wissen Sie, Doc, das hier ist kein Kinofilm und die Männer in der Stadt sind keine Schauspieler. Die sind sehr, sehr echt und die werden gar nicht begeistert sein, wenn Doctor Dolittle ihnen ihr Spielzeug wegnimmt.«

»Das weiß ich.«

»Na gut, solange Sie sich darüber im Klaren sind. Wenigstens läuft die Maschine wieder, sodass wir hier einigermaßen schnell verduften können. Bringen wir's hinter uns.«

»Sie kommen mit?«, fragte Doc.

»Tote Passagiere wären keine gute Werbung für mich.«

»Und wer passt auf das Boot auf?«, fragte Flanna.

»Unser hilfsbereiter kleiner Mechaniker ist immer noch da unten. Er ist nicht so dumm, irgendjemanden an Bord zu lassen, und ich habe ihn noch nicht bezahlt, was ihn für den Augenblick zu unserem Verbündeten machen dürfte.«

Wir stiegen mit einer Meute von Leuten im Gefolge den Pfad hinauf. Im Laden erwartete uns eine weitere Menschenmenge, die sich bis auf die Straße hinaus erstreckte. Wir mussten uns den Weg durch den Eingang bis zur Waagschale richtiggehend freikämpfen. Hinter der Waage hing eine lange Tafel, auf der Namen und Ziffern standen. An einem Haken über der Tafel hing ein Zehnliter-Kanister voller Geld. Der Ladenbesitzer kam zu uns und betrachtete den Jaguar. Er sprang zurück.

»Er hat soeben bemerkt, dass der Jaguar noch am Leben ist«, sagte Silver mit einem Grinsen. Er schien sich bestens zu amüsieren.

Der Besitzer fing an Raul anzuschreien.

»Er ist nicht gerade erfreut darüber, dass ihm das Fell durch die Lappen geht«, dolmetschte Silver. »Und er gibt Raul die Schuld, weil der euch zu dem Jaguar geführt hat. Kein guter Tag für Schlammstadt. Los, schafft ihn auf die Waage und dann nichts wie raus hier.«

Doc und ich legten das Jaguarweibchen auf die Waagschale und der Ladenbesitzer verschob die Gegengewichte, um den Waagebalken auszubalancieren. Er ließ sich Zeit dabei und verschob das kleinste Gewicht auf dem Waagebalken nur um winzige Stückchen. Es wurde ganz still im Raum. Die meisten der Männer starrten wie gebannt auf die Anzeige in der Hoffnung, ihre Zahl würde dort erscheinen. Fred Stoats starrte Flanna an, den zahnlosen Mund weit geöffnet. Endlich war der Besitzer mit dem gemessenen Gewicht zufrieden und notierte es auf einem Zettel. Er verkündete es auf Portugiesisch, dann wandte er sich der Tafel zu und fuhr mit dem Finger die Liste der Namen und Zahlen ab, bis er bei zweiundsiebzig Kilo stehen blieb.

»Raul«, sagte der Ladenbesitzer leise.

Fred Stoats zerriss angewidert seinen Wettschein und schleuderte ihn zu Boden. Er neigte sich zu mir herüber und zischte mir ins Ohr: »Ihr hättet mich lieber den Fluss hinauf mitnehmen sollen. Das wird euch noch Leid tun.« Er stapfte aus dem Laden.

»Sie bringen Ihren Jaguar jetzt lieber hier raus, Doc«, sagte Silver. »Ich habe so das Gefühl, dass es hier gleich ausgesprochen unschön werden wird.«

Kein Wunder, dass Raul darauf bestanden hatte, den Jaguar wiegen zu lassen. Er war stärker an Geld interessiert, als wir gedacht hatten.

Doc und ich bugsierten den Jaguar auf die Trage. Raul trat vor und gab dem Ladenbesitzer seinen Wettschein, dann streckte er die Hand nach dem Kanister aus. Der Besitzer nahm den Kanister herunter, aber er zögerte, ihn auszuhändigen. Silver sagte etwas zu dem Besitzer. Ich weiß nicht, was es war, aber augenblicklich zogen sich die Männer so weit von Silver zurück, wie sie konnten. Das Gesicht des Ladenbesitzers färbte sich blutrot.

»Haben Sie das Tier?«, fragte Silver, ohne den Besitzer aus den Augen zu lassen. Flanna und ich nahmen die Trage auf.

»Wir werden alle gemeinsam hier rausgehen«, sagte Silver. »Ihr und euer Haustierchen zuerst, dann ich und euer Freund Raul mit seinem Eimer voll Geld.« Er sagte etwas zu dem Besitzer und verlieh seiner Rede Nachdruck, indem er eine Patrone in den Lauf seiner Flinte lud. Der

Ladenbesitzer übergab Raul sehr widerstrebend den Kanister. »Die Party ist vorüber. Nichts wie raus hier.«

Ich ging mit der Trage rückwärts durch die Tür. Doc war hinter mir und hielt den Weg frei. Als wir draußen waren, drehte ich mich um, um sehen zu können, wohin ich trat. Wir liefen zum Pfad hinüber und machten uns an den Abstieg.

»Doc«, schrie Silver. »Warum rennen Sie nicht schon mal vor und machen die Leinen los. Sobald die da drinnen ihre Sinne wieder beisammen haben, werden sie uns nachkommen. Ich möchte fort sein, wenn sie unten sind.«

Doc lief voraus. Ich warf einen Blick zurück. Silver ging rückwärts den Pfad hinunter. Raul lief mit seinem Kanister neben ihm her. Eine Gruppe von Männern folgte, aber sie hielten Abstand. Der Jaguar hob einen Moment lang den Kopf, ließ ihn aber wieder sinken. Er erwachte langsam aus der Narkose. Sobald wir die Anlegestelle erreicht hatten, liefen wir schneller. Als wir am Boot ankamen, hatte Doc die Leinen schon gelöst. Wir brachten den Jaguar an Bord. Silver kletterte ins Ruderhaus hinauf und ignorierte alle Beschwerden des Mechanikers, der bezahlt werden wollte. Die Maschine lief an und wir legten ab.

Als wir weit genug von der Anlegestelle entfernt waren, schwang Silver das Ruder herum und fuhr mit ziemlichem Tempo stromaufwärts. Wir brachten den Jaguar in den Käfig. Nach einer Weile kam Silver aus dem Ruderhaus herunter, um einen Blick auf unseren neuen Passagier zu werfen. Der Jaguar fauchte ihn an. »Sie scheint Ihnen nicht besonders dankbar zu sein, Doc.«

Doc sah zu ihm auf. »Danke, dass Sie uns geholfen haben, Silver.«

»Das ist alles im Service inbegriffen.« Silver grinste. »Um Ihnen die Wahrheit zu sagen, irgendwie habe ich es sogar genossen, aber lassen wir das in Zukunft lieber trotzdem bleiben. Wir werden Raul und den Mechaniker ein Stück weiter oben absetzen. Raul wird sich von der Stadt fernhalten müssen, aber mit dem Geld, das er gewonnen hat, kann er ja gehen, wohin er will.«

»Er kommt mit uns«, sagte Doc.

Silver hörte auf zu grinsen. »Warum?«

»Er will sehen, wie wir den Jaguar freilassen. Außerdem ist er zufällig der beste Fährtensucher, was Großkatzen betrifft, der mir je begegnet ist. Ich brauche ihn.«

»Doc, Indios sind die unzuverlässigsten Leute auf der ganzen Welt. Er wird nicht bei Ihnen bleiben. Eines schönen Tages wird er einfach ohne ein Wort verschwinden. Das machen sie immer so.«

Ich musste an Silvers Frau Alicia und seinen Sohn Tito denken.

»Er kann gehen, wann immer er will«, sagte Doc.

»Dann habe ich also jetzt einen Indio und einen Jaguar am Hals. Und was kommt als Nächstes?«

»Drei Jaguare«, sagte ich.

Doc erzählte ihm von den beiden Jungen. Plötzlich fing es an zu regnen.

Silver schaute zum Himmel. »Ich sollte das Boot in Arche Silver umbenennen.« Er ging zurück ins Ruderhaus.

»Das hat er leichter geschluckt, als ich erwartet hatte«, meinte Doc.

Die jungen Jaguare waren wesentlich größer, als Doc vermutet hatte. Sie wehrten sich ganz ordentlich, als ich sie mit einer an einer Stange befestigten Fangschlinge aus dem Bau ziehen wollte. Verblüfft stellte ich fest, dass einer von ihnen schwarz und einer gefleckt war.

»Schwarze Jaguare sind gar nicht einmal so selten«, erklärte Doc. »Das schwarze Fell heißt Melanismus. Das ist nur eine Farbabstufung. Wenn die Sonne im richtigen Winkel auf das Fell scheint, kann man immer noch die Umrisse der Flecken sehen.«

Wir paddelten zurück zum Boot und reichten Silver und Flanna die Kisten hinauf. Als wir wieder an Bord waren, halfen wir dem Mechaniker in eines der Kanus hinunter. Dann nahm Raul seinen Kanister voller Geld und ließ ihn über die Bordwand zu einem der Männer hinunter, dem er noch etwas sagte. Silver sah sehr überrascht aus.

»Raul hat seinem Freund gesagt, er soll das Geld den Leuten im Indiolager geben«, erklärte Flanna.

»Darauf hätte ich nicht gewettet«, sagte Silver. Er sagte etwas auf Portugiesisch zu Raul, dann ging er zurück ins Ruderhaus.

Flanna lächelte. »Unser Kapitän hat Raul gerade mitgeteilt, dass er jederzeit an Bord willkommen ist.«

»Ich nehme an, es gibt doch noch Hoffnung für diese Expedition«, meinte Doc. »Bauen wir einen Käfig für die Jungen.«

»Warum stecken wir sie nicht mit ihrer Mutter zusammen in einen?«, wollte Flanna wissen.

»Das wäre zu eng. Außerdem sind sie sowieso soweit, entwöhnt zu werden.«

Wir bauten einen weiteren Käfig auf, den wir direkt neben den des Weibchens stellten, sodass die Jungen ihre Mutter zumindest sehen konnten.

»Unser größtes Problem wird es sein, sie zu füttern«, sagte Doc. »Am liebsten sind ihnen Pekaris und Capybaras, aber sie fressen so ziemlich alles, was sie erwischen – Schildkröten, Hirsche, Affen, Faultiere, Schlangen, Eidechsen, Kaimane, Vögel, Opossums, Fische, sogar Schnecken und Insekten.«

»Vielleicht ist Raul als Jäger ja genauso gut wie als Spurensucher«, vermutete Flanna.

»Wollen wir's hoffen.«

An diesem Abend war Doc immer noch bester Laune. Er hatte schon drei Jaguare und war dabei noch nicht einmal beim Reservat angekommen.

Flanna nahm ihm den Verband ab. »Sieht so aus, als würden die Verbrennungen nun doch endlich verheilen«, erklärte sie. »Ein paar kleine Narben werden zurückbleiben, aber mit der Zeit verschwinden die wahrscheinlich auch noch.«

Ich stand so plötzlich auf, dass es Doc und Flanna gleichermaßen aufschreckte.

»Hat dich was gebissen?«, fragte Doc.

»Nein, ich bin bloß etwas unruhig. Ich werde wohl mal hochgehen und eine Weile mit Silver plaudern.«

Bei der ganzen Aufregung hatte ich völlig vergessen, Silver von dem Mann mit der Narbe zu berichten. Ich stieg die Leiter zum Ruderhaus hinauf. Er stand am Ruder und Scarlet saß auf seiner Schulter.

»Was gibt's?« Auch er schien ziemlich guter Dinge zu sein.

»Ich habe vergessen, Ihnen zu sagen, dass ich gestern in der Stadt den Mann mit der Narbe gesehen habe. Ich glaube wenigstens, dass es derselbe war. Er stand in der

Nähe des Pfads und hat die *Tito* durch einen Feldstecher beobachtet.«

Silver sagte einen Moment gar nichts. »Narben im Gesicht sind in diesem Land fast so häufig wie Ohren. Und es ist schon ziemlich unwahrscheinlich, dass derselbe Typ so weit hier oben auftaucht.«

»Vielleicht ist er uns gefolgt.«

»Er hat schon das ganze Boot auf den Kopf gestellt. Warum sollte er uns da noch folgen? Vergiss die Geschichte einfach, Jake.«

»Aber warum hat er uns mit dem Feldstecher beobachtet?«

»Ich bin sicher, dass irgendjemand in der Stadt jedes Boot, das einläuft, überprüft. Es war nicht derselbe Kerl.«

Ich verfolgte das Thema nicht weiter, aber Silvers Laune hatte sich eindeutig geändert. Die Fröhlichkeit, die er noch vor ein paar Augenblicken gezeigt hatte, war verschwunden.

»Gibt's sonst noch was?«, fragte er, während er starr zum Fenster hinausschaute.

»Ich schätze nicht«, erwiderte ich und ließ ihn allein.

In meiner Hängematte lag etwas auf dem Kissen. Es war in ein grünes Blatt gewickelt.

»Was ist das?«

»Ich weiß es nicht«, sagte Doc. »Raul hat es dahin gelegt.«

Ich schaute zu Raul hinüber. Er beobachtete die Jaguare. Ich wickelte das Blatt auseinander. Darin lag ein großer vergilbter Eckzahn. Durch ein Ende war ein Loch gebohrt. Ich zeigte ihn Doc.

»Von einem Jaguar«, sagte Doc.

Ich schaute wieder zu Raul. Er sah mich an und sagte etwas zu Flanna.

»Er sagt, es soll dich stark machen.«

Ich lächelte ihn an. Er nickte und wandte sich wieder den Jaguaren zu. Ich nahm mein Schlangenamulett ab, führte den Lederriemen durch den Zahn und hängte es wieder um. Ich ging zu Raul und zeigte ihm, dass ich den Zahn um den Hals trug. Er nickte beifällig. Ich nahm mein Taschenmesser heraus und reichte es ihm. Er wollte es mir zurückgeben, aber ich bog seine rauen kupferfarbenen Finger um das Messer und schüttelte den Kopf.

In dieser Nacht warf Silver den Anker nicht aus. Als Doc ihn fragte, warum, sagte Silver, er wolle schnell vorankommen, um die verlorene Zeit wieder wettzumachen.

14

Die nächsten paar Tage verliefen relativ ruhig. Raul saß die meiste Zeit über in einem Klappstuhl und schaute auf das Ufer. Ich gab ihm einen Feldstecher. Er wollte ihn kaum von den Augen nehmen. Nachts schlief er auf dem harten Deck, ganz in der Nähe der jungen Jaguare. Wenn Raul nicht durch den Feldstecher schaute, sah er Doc über die Schulter und Flanna versuchte ihm zu erklären, was dieser gerade tat. Raul war von allem, was mit Technik zu tun hatte, fasziniert, von Docs Laptop ebenso wie von den Funkhalsbändern. Flanna meinte im Scherz, wenn wir noch lange auf dem Boot blieben, würde Raul noch zum totalen Computer-Freak werden.

Außerdem verbrachte Raul viel Zeit mit Silver im Ruderhaus, wo sie sich bis spät in die Nacht unterhielten. Sie schienen gerne zusammen zu sein, was uns alle überraschte.

Docs Stimmung blieb gut. Er freute sich auf das Reservat und die Arbeit, die vor ihm lag. Er verbrachte Stunden damit, die Jaguare zu beobachten, und diese verbrachten Stunden damit, uns zu beobachten. Er bastelte spezielle Funkhalsbänder für die beiden Jungen. Das Batteriepäckchen war kleiner und die Halsbänder bestanden aus leichtem Segeltuch statt aus dem schweren Stoff, den er für die ausgewachsenen Jaguare verwendete. Er hatte vor, ihnen die Halsbänder umzulegen, sobald wir das Schutzgebiet erreicht hätten.

»Das leichte Segeltuch benutze ich, weil die Jungen noch nicht ausgewachsen sind«, erklärte er. »Wir werden versuchen sie in ein paar Monaten wieder einzufangen und ihnen größere Bänder anzulegen. Wenn wir sie nicht einfangen können, dann werden diese leichten Halsbänder verrotten und abfallen, bevor sie zu eng werden«.

Wir gaben den Jaguaren Namen. Das heißt, Doc ließ mich die Namen für sie aussuchen. Das schwarze Junge war Wild Bill, nach Bill Brewster. Das gefleckte hieß Taw. Und ihre Mutter, Beth, nannte ich nach meiner Ma. Doc fand, die Namen passten perfekt.

Wenn wir abends vor Anker gingen, besorgte Raul Fressen für die Jaguare. Manchmal spießte er im flachen Wasser in Ufernähe Fische auf. An anderenTagen zog er tief in den Wald, um zu jagen. Er hatte sich einen Bogen, so groß wie er selbst, gebaut und mehrere Pfeile, die beinahe ebenso lang waren wie der Bogen. Er kam nur selten mit leeren Händen zurück. Einmal brachte er zwei Brüllaffen mit. Ein anderes Mal einen Capybara – ein Nagetier von der Größe eines kleinen Hundes. Auf seinem letzten Jagdausflug zog er den absoluten Hauptgewinn und brachte einen Tapir zur Strecke, der uns mehrere hundert Pfund Fleisch bescherte. Flanna und ich mussten ihm helfen, den Tapir auf das Boot und in den Kühlraum zu bringen. Doc meinte, das müsste den Jaguaren die Mägen füllen, bis wir das Reservat erreicht hätten.

Je weiter stromaufwärts wir kamen, desto weniger Siedlungen waren zu sehen. Wir bekamen jetzt auch mehr wild lebende Tiere zu Gesicht, vor allem am frühen Morgen und späten Abend. Wir sahen Herden von Brüllaffen und Wollaffen, die sich in Ufernähe durch das Blätterdach schwangen. Riesenflussotter ließen sich von den schlammigen Uferböschungen hinabgleiten und schwammen zum Boot, um uns zu betrachten. Flanna sagte, die Otter würden auch die »Jaguare der Flüsse« genannt, wegen ihres Heißhungers und ihres Geschicks beim Fischfang. Ab und zu sahen wir eine Anakonda vorüberschwimmen oder wir kamen an einer Boa vorbei, die sich in den Bäumen auf einem Ast sonnte. Und natürlich gab es auch zahllose Vögel, die in dem grünen Vorhang aus Bäumen und Blumen, die am Ufer wuchsen, hin und her schossen. Am liebsten mochte ich wohl die Inias, die Amazonasdelfine. Sie hatten rosafarbene Haut und lange Schnäbel und ritten meilenweit auf unserer Bugwelle mit, während wir immer weiter flussaufwärts fuhren, dem Reservat entgegen.

Eines Abends, während wir ankerten, fuhr Silver allein

mit dem Beiboot hinaus. Er verschwand den Fluss hinauf und Scarlet, die über ihm mitflog, kreischte sich die Lungen aus dem Leib. Er kam erst weit nach Einbruch der Nacht zurück. Wir hatten uns alle Sorgen um ihn gemacht. Als wir ihn fragten, warum er so lange gebraucht habe, meinte er, es hätte ein paar Schwierigkeiten mit dem Motor gegeben. »Hat ein bisschen gedauert, bis er lief. Nichts Schlimmes.«

Bevor Silver ins Ruderhaus kletterte, fragte Doc ihn, wann wir seiner Meinung nach am Reservat ankommen würden.

»Innerhalb einer Woche«, sagte er zuversichtlich.

Am nächsten Morgen lichtete Silver schon sehr früh den Anker. Wir waren vielleicht zehn Meilen flussaufwärts gefahren, als er das Tempo der *Tito* drosselte, eine enge Linkskurve zog und die Maschine mit Volldampf laufen ließ. Raul fiel aus dem Stuhl. Erst dachten wir, Silver hätte einem treibenden Baum ausweichen wollen, aber nichts schwamm an uns vorbei und wir steuerten weiterhin auf das Ufer zu. Doc und ich stiegen ins Ruderhaus hinauf, um festzustellen, was los sei.

»Was machen Sie da, Silver?«, fragte Doc.

»Abkürzung«, verkündete Silver, der den Kurs beibehielt. »Außerdem dachte ich, wir hätten eine Abmachung, nach der ich hier der Kapitän bin.«

»Das bestreite ich ja gar nicht«, sagte Doc. »Ich will nur wissen, was hier los ist.«

Wir waren noch ungefähr zehn Meter vom Ufer entfernt. Silver verlangsamte die Fahrt, dann warf er den Buganker, um uns an dieser Position zu halten.

»Sehen Sie diesen Nebenlauf?« Er deutete auf eine Stelle

am Ufer. Der Nebenlauf war kaum weit genug, dass die *Tito* sich hindurchzwängen konnte.

Silver ging in seine Kabine und brachte eine Karte mit. »Nehmen wir mal an, der Amazonas wäre eine große Autobahn, und in gewisser Weise ist er das ja tatsächlich, denn er stellt die Hauptverkehrsader durch das Amazonasbecken dar. Also, da oben, direkt neben der Autobahn, liegt Ihr Reservat.« Er deutete auf ein großes, rot umrandetes Gebiet. »Und das ist der Ort, wo Sie Ihr Basislager aufschlagen wollen.« Dort befand sich ein schwarzes X. »Können Sie mir folgen?«

»Ich kann«, sagte Doc. »Aber mir ist immer noch nicht klar, worauf Sie hinauswollen.«

»Wenn Sie die Wahl hätten, die Jaguare in der Mitte eines Naturschutzgebiets oder in der Nähe einer Autobahnausfahrt auszusetzen, wofür würden Sie sich entscheiden?«

»Für das Naturschutzgebiet natürlich.«

»Na also, und ich glaube, dass ich eine Möglichkeit gefunden habe, uns genau dorthin zu bringen. Auf dem Landweg ist es nicht zu erreichen. Da sind zu viele Sumpfgebiete und sonstige Hindernisse. Ich vermute außerdem, dass die Jaguare, die Sie einfangen wollen, um ihnen Halsbänder zu verpassen, auch nicht neben der Autobahn leben. Hier sind sie.« Er deutete auf die Mitte des Reservats.

»Und wie kommen wir da mit dem Boot hin?«

Silver wies auf eine gewundene blaue Linie.

»Dieser Nebenfluss führt ja nicht einmal bis zum Rand des Reservats!«, protestierte Doc.

»Ich glaube schon, dass er das tut.«

»Sie sagten, Sie wären überhaupt noch nie in der Gegend gewesen. Wie wollen Sie das dann überhaupt wissen?«

»Ich weiß es ja gar nicht«, gab Silver zu. »Aber ich glaube, es ist einen Versuch wert.«

»Und worauf stützt sich dieser Glaube?«

»Einfach eine Ahnung, Doc. Haben Sie so was nicht auch manchmal?«

Doc nickte. Er war ein Meister der Ahnungen. »Aber wir sollen Buzz und Woolcott hier oben treffen.« Doc zeigte auf die Stelle, die für das Basislager ausgesucht worden war.

»Uns bleiben mehrere Wochen, bevor wir dort sein müssen. Wenn ich Recht habe, werden wir zu der Zeit, wenn sie auftauchen, das Reservat bereits erkundet haben. Ihre drei Tiere werden Meilen von der Zivilisation entfernt und in Sicherheit sein. Und ich möchte wetten, dass Sie bis dahin schon einer ganzen Reihe von Jaguaren ein Funkhalsband anlegen können.«

Doc betrachtete die Mündung des schmalen Nebenlaufs. »Es sieht nicht so aus, als ob das breit genug für das Boot ist.«

»Es ist eng«, gestand Silver zu. »Aber ungefähr nach einer Meile wird es breiter. Ich bin gestern mit dem Beiboot da drin gewesen. Wenn ich mich irre und der Nebenfluss aufhört, drehen wir um und fahren auf der ursprünglichen Route weiter. Wir verlieren höchstens ein paar Tage und das können wir uns, glaube ich, leisten, schließlich haben Sie ja schon drei Jaguare geschnappt.«

»Holen wir Flanna her«, entschied Doc.

Als sie kam, erklärte Silver den Plan noch einmal. Flanna war bereit, ihm zu folgen, aber sie war misstrauisch, was Silvers Motive anging. »Warum wollen Sie dafür Ihr Boot riskieren?«

»Zunächst einmal«, sagte er, »werden wir das Boot nicht verlieren. Wenn es nicht klappt, verlieren wir lediglich etwas Zeit und etwas Blut – die Insekten sind wirklich schlimm da oben. Außerdem will ich wissen, ob ich Recht habe. Und drittens, selbst wenn ich nicht Recht habe, will ich immer noch sehen, was es da oben so alles gibt.«

»Reine Neugier«, sagte Flanna.

Silver nickte.

Es war schlimmer, als wir es uns in unseren schrecklichsten Träumen hätten vorstellen können. Silver hatte Recht: Nach etwa einer Meile wurde der Nebenlauf breiter, wenn auch nicht viel. Von beiden Seiten kratzten die Äste der Bäume über das Boot. Zweimal fielen Schlangen aufs Deck. Raul fegte sie mit der Hand so beiläufig ins Wasser, als würde er eine Bananenschale über Bord werfen.

An einigen Stellen berührten sich die Äste über uns und nahmen beinahe das gesamte Tageslicht. Der Wasserlauf wand sich auf die unmöglichste Weise. Wir stießen auf dermaßen viele treibende Bäume, dass Scarlet es gänzlich aufgab, Silver zu warnen.

Aber am schlimmsten waren die Insekten. Schwarze Wolken von Mücken, Moskitos und Kriebelmücken hüllten das Boot ein. Sie hockten so dicht auf der Außenhaut unseres Moskitonetzes, dass wir nicht mehr hinausschauen konnten. Die Jaguare drehten durch. Wir mussten die Sicherheit unseres Moskitonetzes verlassen und Netze über ihre Käfige werfen. Danach brauchte Doc zwei Dosen Schutzmittel, um die Insekten, die nun im Inneren unserer Netze saßen, zu killen.

Den ganzen Tag über lagen wir nur in unseren Hängematten und versuchten uns nicht an den roten juckenden Pocken, von denen wir übersät waren, zu kratzen. Der Einzige, dem das alles nichts auszumachen schien, war Raul. Er saß auf seinem Klappstuhl und blätterte in ein paar *National Geographic*-Heften, als wäre er an Deck eines Kreuzfahrtschiffes.

In dieser Nacht schaltete Silver grelle Flutlichter an und setzte die Fahrt den Nebenlauf hinauf fort.

Am nächsten Morgen liefen Doc und ich schnellstens zum Ruderhaus, um Silver etwas zu essen zu bringen und zu fragen, ob wir das Ruder übernehmen sollten, damit er sich ausruhen konnte. Er sah wirklich fürchterlich aus. Sein Gesicht war von Stichen zugeschwollen und er war so erschöpft, dass er kaum noch die Augen offen halten konnte. Selbst Scarlet sah müde aus.

»Wir müssen umkehren«, sagte Doc.

Silver nickte matt. »Ich glaube, Sie haben Recht. Aber die einzige Möglichkeit, das zu tun, ist rückwärts rauszufahren, was nicht leicht sein wird. Ich kann das Boot vom Deckruder aus steuern, aber irgendjemand muss achtern sitzen und mich lotsen.«

Doc ging als Erster. Er trug ein langärmliges Hemd, Handschuhe und einen speziellen Hut mit Moskitonetz, um Gesicht und Hals zu schützen. Außerdem stellten wir ein Netz am Deckruder auf, um Silver vor den Insekten zu bewahren, weshalb er kaum noch herausschauen konnte. Doc schrie die Richtungsangaben: *Hart rechts! Mitte! Gut so! Links! Stopp! Mitte!* Zwei Stunden lang. Es ging nur sehr langsam voran. Als Flanna sich daranmachte, Doc abzulösen, hörten wir ein lautes Kreischen und die Maschine stoppte plötzlich.

Silver fluchte und verschwand unter Deck im Maschinenraum. Er kam mit sehr schlechten Nachrichten zurück.

15

»Wir haben keinen Rückwärtsgang mehr«, berichtete Silver.

»Lässt es sich reparieren?«, wollte Flanna wissen.

»Ich fürchte nicht. Zumindest nicht hier.«

»Und was machen wir jetzt?«, fragte Doc.

»Den Nebenfluss hinauffahren und hoffen, dass weiter oben eine Stelle kommt, an der wir wenden können.«

»Und wenn keine kommt?«

»Es muss eine kommen.«

Silver stieg ins Ruderhaus und steuerte das Schiff wieder den Nebenfluss hinauf.

Am nächsten Morgen hatte sich nichts wesentlich geändert. Wenn überhaupt, dann war der Nebenlauf noch schmaler geworden. Doc und ich gingen ins Ruderhaus, um Silver abzulösen. Er war die ganze Nacht lang wach gewesen und protestierte nicht, als Doc vorschlug, dass wir für eine Zeit übernehmen sollten.

Ich brachte Silver zur Koje in seiner Kabine. Scarlet folgte uns und landete auf ihrer Stange.

»Das ist alles meine Schuld«, sagte Silver.

Ich sagte ihm, dass das nicht stimmte, aber ich glaube

nicht, dass er mich noch gehört hatte, bevor er einschlief. Doc saß im Kapitänssitz, die gesunde Hand auf das Ruder gelegt. Insekten prasselten gegen die Windschutzscheibe in dem verzweifelten Versuch hineinzugelangen, um einen Bissen zu fressen zu bekommen.

»Es tut mir Leid, dass ich dich hier hineingezogen habe, Jake«, sagte Doc. »Ich hätte darauf bestehen müssen, dass du zurückfährst.«

»Ich wollte aber gar nicht zurück.«

»Ich weiß.«

Ich hatte seit Wochen auf die Gelegenheit gewartet, ihm eine Frage zu stellen. Mir war klar, dass jetzt nicht der ideale Zeitpunkt dafür war, aber schließlich hatte er mit dem Thema angefangen.

»Warum wolltest du nicht, dass ich hier bei dir bin?«

»Wegen Situationen wie dieser«, sagte Doc und deutete nach vorn. »Wegen der Gefahren …«

»Das ist nicht der einzige Grund!«

Doc nickte. »Du hast Recht«, sagte er sanft. »Da gibt es noch viel mehr.«

Ich wartete und fühlte mich schuldig, weil ich ihn zwang, darüber zu sprechen. Doc war erschöpft und er hatte Angst. *Ich* hatte Angst. »Vielleicht sollten wir lieber später darüber reden«, schlug ich vor.

»Nein. Du hast lange genug warten müssen. Ich weiß nur einfach nicht, ob ich es erklären kann. Ich weiß ja nicht einmal, ob ich selbst verstehe, was eigentlich los ist.«

»Das musst du auch gar nicht, Doc.«

»Ich werde es versuchen«, sagte er. »Als wir aus Kenia zurückkamen und nach Poughkeepsie zogen, da dachte ich, es würde alles gut werden. Dass ich an meinen Forschungsberichten arbeiten würde, während du zur Schule gehst. Im Sommer hätten wir dann Urlaub machen und irgendwohin fahren können und im Herbst wären wir zurückgekommen, damit du wieder zur Schule kannst. So hatte ich mir das wenigstens vorgestellt. Aber nach einem Monat wurde ich langsam unruhig und mir wurde klar, dass das so nicht funktionieren würde.« Er sah mich an. »Um dir die Wahrheit zu sagen, Jake: Wenn Bill es mir nicht angeboten hätte, wieder in die Wildnis zu gehen, hätte ich versucht ein eigenes Forschungsprojekt auf die Beine zu stellen.«

»Du meinst, du hättest mich allein zurückgelassen?«

»Ja«, sagte er. »Ich glaube, das hätte ich getan.«

Ich ließ das einen Moment auf mich wirken und es fühlte sich nicht sehr gut an. »Ich dachte, wir wären Partner.«

»Das ist der Punkt, an dem es für mich selbst verwirrend wird. Ich habe versucht zu Hause ein guter Vater und in der Wildnis ein guter Biologe zu sein. Jetzt wird mir klar, dass beides zugleich wohl nicht möglich ist.

Deine Ma hat das verstanden. Deswegen blieb sie auch an der Universität und ist nicht in den Dschungel gegangen. Sie war diejenige, die dafür sorgte, dass du zur Schule kamst, dass du zum Arzt und Zahnarzt gingst und dass jemand da war, mit dem du reden konntest, wenn du ein Problem hattest. Sie hat dich sehr, sehr geliebt. Beth hat das aus dir gemacht, was du bist, nicht ich. Ich habe dich im Stich gelassen Jake. Und ich habe sie im Stich gelassen.«

Ich wollte ihm widersprechen, aber er unterbrach mich. »Wenn wir hier rauskommen, gehen wir zurück nach Poughkeepsie.«

»Aber deine Arbeit…«

»Nein«, unterbrach er mich. »Es wird langsam Zeit, dass ich mich benehme wie dein Vater. Die Arbeit kann warten. In drei Jahren bist du mit der Schule fertig. Dann bleibt mir noch genügend Zeit, wieder in die Wildnis zu gehen. Beth wollte, dass du eine gute Ausbildung bekommst. Das ist hier unten nicht möglich. Ich möchte zu Ende bringen, was sie begonnen hat. Das bin ich ihr schuldig. Du bist das Beste, was wir je erreicht haben. Dafür hat Beth gesorgt und ich wünschte, sie wäre hier, damit ich es ihr sagen könnte.«

Ich fing an zu weinen. Ich konnte nichts dagegen machen. Meinem Vater ging es genauso.

»Wenn uns bloß Silver jetzt sehen könnte«, sagte ich.

Doc lachte und wischte sich die Tränen fort. »Ja, das würde ihm garantiert die Sprache verschlagen.«

»Ich glaube nicht, dass du in Poughkeepsie glücklich wärst«, sagte ich.

»Poughkeepsie scheint mir momentan durchaus seine Reize zu haben.«

In diesem Punkt musste ich ihm beipflichten, aber ich kannte Doc gut genug, um zu wissen, dass er seinen Vorsatz über Nacht ändern konnte. Alles, was er dazu brauchte, war ein weiteres Forschungsprojekt in der freien Natur, ein weiteres Tier in Schwierigkeiten, und schon wäre er wieder fort.

»Was ist mit Flanna?«

»Es tut mir Leid, dass ich dir nicht schon von ihr erzählt habe, bevor du hierher gekommen bist. Ich hätte es tun müssen. Flanna hat mich sogar darum gebeten, aber ich wusste nicht, was ich hätte sagen sollen oder wie du darauf reagieren würdest. Ich war egoistisch.«

»Du liebst sie also?«

»Ich glaube schon, aber ich weiß nicht, wohin uns das führen wird. Sie ist eine bemerkenswerte Frau. Ich bin nicht sicher, ob sie es verdient hat, ausgerechnet an so jemanden wie mich zu geraten.«

»Sie könnte es wesentlich schlechter erwischen.«

»Wesentlich besser aber auch.«

»Ich mag sie«, sagte ich und das war mein Ernst.

»Das freut mich, Jake.«

Ein paar Stunden später bat Doc mich, unter Deck zu gehen und eines der tragbaren Satelliten-Positionsbestimmungssysteme, die wir an Bord hatten, heraufzuholen. Ich brachte es ihm und schaltete es ein, aber ich musste erst warten, bis wir eine lichte Stelle passierten, bevor der Strahl von einem der Satelliten, die tausende von Meilen über uns kreisten, reflektiert werden konnte. Sobald ich eine Anzeige hatte, ließ Doc mich das Steuer übernehmen, damit er unsere Position auf der Karte berechnen konnte.

»Silvers Ahnung war richtig«, sagte er. »Wir sind schon Meilen hinter der Stelle, an der der Nebenlauf auf der Karte zu Ende ist. Wir haben die Grenze des Reservats überquert und jetzt bewegen wir uns auf einem kleinen Umweg auf die Mitte zu. Nicht, dass uns das sonderlich viel nützen würde.«

»Ich glaube, es wird wieder breiter werden«, sagte Silver hinter uns.

Wir drehten uns um. Nach vier Stunden Schlaf sah er nicht viel erholter aus.

»Wie kommen Sie darauf?«, wollte Doc wissen.

»Ich hatte schließlich schon Recht damit, dass der Nebenlauf bis in die Mitte des Reservatsgebiets führt«, sagte er, machte dabei aber keinen übermäßig zuversichtlichen Eindruck.

Wir starrten auf die Karte, als würde uns das auf magische Weise weiterhelfen.

An diesem Nachmittag bestellte Silver uns alle ins Ruderhaus, um unser weiteres Vorgehen zu diskutieren. Während der Unterhaltung steuerte er das Boot stetig den Fluss hinauf.

Doc wollte wissen, ob wir die Fahrrinne verbreitern und so eine Wendemöglichkeit schaffen könnten.

»Wir würden im Flachen auf Grund laufen«, sagte Silver.

»Und wenn wir mit dem Beiboot zurück zum Hauptstrom fahren und dort Hilfe holen?«, schlug Flanna vor.

»Hier draußen kann uns niemand mehr helfen«, erklärte Silver. »Jedes Boot, das groß genug wäre, uns rauszuziehen, wäre automatisch in der gleichen Lage, in der wir uns befinden.« Er hielt inne, als würde er den Vorschlag noch einmal überdenken. »Ich schätze, wir könnten anfangen, nacheinander zum Amazonas runterzufahren. Das Beiboot trägt drei von uns. Das wäre eine absolut höllische Fahrt, aber zumindest …«

Scarlet kreischte und fing an mit dem Schnabel gegen das Fenster zu schlagen. Silver drosselte sofort die Geschwindigkeit. Wir schauten alle aus dem Fenster, um festzustellen, was sie so aufregte, konnten aber nichts erkennen. Nichts als denselben engen Kanal, der von Pflanzenwuchs und Bäumen dicht gesäumt war. Da war nichts, was uns den Weg versperrte.

»Was ist denn plötzlich in dich gefahren?«, fragte Silver.

Scarlet schrie jetzt noch lauter und trommelte so fest gegen die Scheibe, dass ich Angst hatte, sie würde zerbrechen. Silver zog das Seitenfenster zurück und Scarlet flog ins Freie, als wäre eine Harpyie hinter ihr her. Sie flog den Flusslauf entlang und verschwand hinter der nächsten Biegung.

»Die Idee, mit dem Beiboot hier rauszufahren, hat ihr wohl nicht behagt«, meinte Silver. »Und das kann ich ihr nicht mal übel nehmen.«

Ich schaute wie gebannt durch das offene Fenster nach draußen, und was mich wirklich erstaunte, war das, was ich *nicht* sah. »Die Insekten sind verschwunden«, sagte ich. Sie waren nicht gänzlich weg, aber es waren einige Millionen weniger da als noch vor ein paar Minuten.

Flanna steckte die Hand nach draußen. Als sie sie wieder hereinzog, krabbelten nur ein halbes Dutzend Mücken und Moskitos darauf herum. »Das ist doch mal ein wirklicher Fortschritt«, erklärte sie.

Silver lenkte das Boot gemächlich um die nächste Biegung. »Also, da brat mir doch einer …«

Ungefähr dreihundert Meter vor uns fiel grelles Licht durch eine Öffnung im Blätterdach. Wir starrten in gespannter Stille dorthin, während wir immer näher kamen. Als wir die Stelle passiert hatten, fanden wir uns auf einem kleinen See wieder. Silver stellte die Maschine ab und warf den Anker.

Alle traten aus dem Ruderhaus. Vor uns ragte eine steile Felswand von ungefähr zehn Metern Höhe auf. Von der Spitze stürzte ein Wasserfall herab. An der Seite der Wand klammerte sich ein Schwarm roter und gelber Aras fest. Als die Vögel das Boot sahen, schwangen sie sich alle auf und verschwanden im grünen Blätterdach, das den kleinen See umfasste. Das heißt, alle außer einem… Scarlet hielt sich noch immer am Felsen fest und fragte sich, warum ihre neuen Freunde sie so plötzlich verlassen hatten. Links der Wand erstreckte sich ein sandiger Strand.

Flanna, Doc und ich umarmten uns.

»Ich wusste, dass es hier ist!«, sagte Silver. »Ich hab's gewusst!«

Der Einzige von uns, der von der Entdeckung nicht überrascht oder bewegt schien, war Raul. Er ging zum Heck des Bootes, um den Feldstecher zu holen und damit den Strand abzusuchen.

Silver überprüfte eine der Ankerketten. »Es ist tief hier«, sagte er. »Muss so eine Art natürlicher Senkgrube sein.«

Doc ging zurück ins Ruderhaus und holte die Karte und das Satelliten-Positionsbestimmungssystem. Er bekam sofort ein Signal und zeichnete einen kleinen roten Kreis auf der Karte ein. Der See befand sich beinahe exakt in der Mitte des Reservats.

Er sah zu Silver hoch. »Keine schlechte Ahnung«, sagte er. Silver war zu aufgeregt, um zu antworten.

Das Reservat

16

»Die Jaguare sind frei«, sagte Doc. »Over.«

»Roger. Ich schalte um auf den Entfernungsmesser. Ende.«

Ich kippte die linke Tragfläche des Morpho und fing an in achthundert Fuß über dem Blätterdach langsam zu kreisen. Dann tippte ich die Frequenz von Beth ein. Als ich das konstante *Piep... Piep... Piep* ihres Funkhalsbandes empfing, bestimmte ich mit dem GPS ihre Position und trug den Ort in das Notizbuch ein, das Doc mir mitgegeben hatte. Dann gab ich das Halsband von Wild Bill ein, schließlich das von Taw. Die drei Jaguare waren unter dem dichten Blätterdach zusammen.

Ich legte den Schalter wieder auf Sprechfunk um. »Ich empfange sie alle laut und deutlich.«

»Super!«, sagte Doc. »Raul und ich werden uns ein bisschen umschauen. Wir müssten am späteren Nachmittag zurück sein, vielleicht auch am frühen Abend. Ende.«

Trotz der großen Hitze war es ein schöner Tag. Als ich zum Lager zurückflog, wollte ich den Nebenlauf, durch den wir zum See gekommen waren, noch einmal sehen. Er war nirgendwo zu erblicken. Das Blätterdach verdeckte ihn vollständig. Kein Wunder, dass er nicht auf der Karte eingetragen war. Inzwischen nannten wir ihn alle nur noch den Tunnel. Keiner von uns freute sich darauf, wieder durch ihn zurückzufahren, wenn es an der Zeit war.

Wir waren seit zwei Wochen am See. Drei Tage hatten wir gebraucht, um unser Lager aufzuschlagen, und ich hatte fünf Tage damit zugebracht, den Morpho wieder zusammenzubauen. Es hätte noch viel länger gedauert, hätte Silver mir nicht dabei geholfen.

Die Stelle, die wir uns als Lagerplatz ausgesucht hatten, befand sich ungefähr siebzig Meter vom Ufer entfernt unter dem Blätterdach. Wir schlugen vier Zelte auf – eins für Doc und Flanna, eins für mich, ein Küchenzelt und ein Zelt für die Ausrüstung. Silver schlief in seiner Kabine auf dem Boot. Das Boot lag auf der gegenüberliegenden Seite des Sees, nahe dem Tunnel, vor Anker, damit mir genug Platz blieb, mit dem Morpho zu starten und zu landen. Silver benutzte das Beiboot, um es zu erreichen.

Raul baute sich aus großen Palmen einen Unterschlupf am Rand des Lagers. Wir erklärten ihm, dass wir ein Zelt für ihn hätten, aber daran war er nicht interessiert. Und es gab noch etwas, woran er nicht interessiert war – Kleidung. Er hatte seine an dem Tag, an dem wir den See erreichten, ausgezogen und seitdem nicht wieder angelegt. Das Einzige, was er trug, war der Baumwollbeutel, den er sich über die Schulter warf. Es war ein bisschen seltsam, dass er so nackt herumlief, aber nach ein paar Tagen gewöhnten wir uns daran.

Raul machte mir auch weiterhin kleine Geschenke. Beim Wasserfall war ein flacher Felsen, auf dem ich in der Hitze des Tages saß, um mich abzukühlen, und von Zeit zu Zeit ließ er dort Geschenke für mich zurück. Bis dahin hatte er mir den Jaguarzahn, diverse Federn, einen Schildkrötenschädel, einen blauen Stein und ein getrocknetes Piranhagebiss geschenkt. Ich habe ihm nie für die Geschenke gedankt. Stattdessen ließ ich im Tausch ebenfalls immer ein Geschenk für ihn auf dem Felsen zurück. Ich hatte ihm das Taschenmesser, eine Mini-Taschenlampe, eine Zange und einen Fünfdollarschein dagelassen, der war für ihn zwar wertlos, aber etwas anderes hatte ich in dem Moment nicht. Flanna war im siebten botanischen Himmel. Wir hatten das Boot noch keine zehn Minuten verlassen, da war sie schon auf einem Baum, krabbelte im Blätterdach herum und nahm alles unter die Lupe. Etwa eine halbe Meile vom Basislager entfernt, richtete sie eine Forschungsstation im Blätterdach ein. Sie verbrachte den ganzen Tag dort oben, manchmal auch die Nacht.

Doc war wieder so arbeitsam wie gewohnt. Er war wach, bevor die Brüllaffen mit ihrem morgendlichen Ständchen loslegten. Dann schlürfte er eine Tasse Kaffee, packte seine Ausrüstung zusammen und verschwand, von Raul begleitet, im Regenwald. Nichts lag ihm ferner, als nach Poughkeepsie zurückzukehren, was mich auch nicht überraschte.

Mit Rauls Hilfe hatte er bereits einen Ameisenbären, drei Affen, zwei Capybaras, einen Paka, einen Tapir und eine ganze Reihe anderer Kleinsäuger gefangen. Den meisten Tieren band er ein Funkhalsband um und ließ sie wieder frei. Den Tieren, die zu klein für ein Halsband waren, legte er entweder einen Ring an oder er tätowierte ihnen eine Markierung ein. Doc wollte dadurch erfahren, welche Tiere es im Regenwald gab, wie sie den Wald nutzten und wie sie miteinander in Beziehung standen.

Außerdem machte er Versuchsreihen zur Funkortung – um herauszufinden, wie effektiv es war, die Bewegungen vom Boden aus zu orten, setzte er tragbare Antennen und

Empfänger ein. Das Verfolgen der Tiere aus der Luft hat den Nachteil, dass an manchen Tagen wegen des Wetters oder technischer Schwierigkeiten einfach kein Flug möglich ist. Doc stellte fest, dass unsere neuen Beobachtungsgeräte ein Halsband bis aus etwa fünf Meilen Entfernung, manchmal auch weiter, empfangen konnten, je nach Bodenbeschaffenheit und Aufenthaltsort des Tieres. Er war mit dem Ergebnis recht zufrieden, denn das hieß, dass wir, wenn der Morpho nicht eingesetzt werden konnte, auch vom Boden aus effektiv Daten sammeln konnten.

Nachts stolperte Doc völlig erschöpft ins Lager zurück und brachte noch Stunden damit zu, Daten in seinen Laptop einzugeben.

Flanna und ich machten uns Sorgen, weil er so schonungslos mit seiner Gesundheit umging. Er trank nicht genügend Wasser und aß zu wenig, er schlief nachts höchstens vier Stunden und schlug alle unsere Ratschläge völlig in den Wind. Er wollte dieses Reservat aufbauen, für die Tiere und den Regenwald, vor allem aber wollte er es für Bill Brewster. Er würde nicht zulassen, dass seine menschlichen Schwächen der Erfüllung des Traums seines Freundes im Wege stünden. Dieser Traum ließ ihn bis an seine Grenzen gehen.

Nachdem seine erste Aufregung über die Entdeckung des Sees verklungen war, wurde Silver wieder gereizt. Er wollte, dass jeder eine Flinte bei sich trug, aber diesmal weigerten Flanna und Doc sich kategorisch. Sie waren nicht länger auf dem Boot und Silver war jetzt nicht mehr ihr Kapitän. Silver blieb die ersten paar Tage immer sehr nahe am Lager. Nachts sah ich ihn auf dem Deck seines Boots sitzen und über den See starren.

Nach etwa einer Woche änderte sich seine Haltung wieder. Er fing an allein kurze Ausflüge in den Regenwald zu unternehmen. Mit der Zeit wurden die Ausflüge länger und länger. Er wurde fast so versessen wie Doc, aber ich hatte keine Ahnung, warum. Er ging für einen oder zwei Tage fort, schleppte sich mit Schweiß und Schmutz verkrustet ins Lager zurück, dann fuhr er mit dem Beiboot auf sein Schiff hinaus. Wenn ich ihn fragte, wohin er denn ginge, sagte er nur, er würde einfach einen kleinen Spaziergang zur Entspannung machen. Für meinen Geschmack sah er überhaupt nicht entspannt aus.

Und Scarlet? Sie verbrachte die meiste Zeit mit ihren neuen gefiederten Freunden und tat, was Aras im Regenwald eben so tun. Ins Lager kam sie nur, wenn der Schwarm den See aufsuchte, und selbst dann blieb sie niemals lange. Wenn der Schwarm sich wieder erhob, steckte sie mittendrin. Und was mich anging, ich verbrachte so viel Zeit wie möglich damit, im Morpho über das Blätterdach zu fliegen. Ich startete, sofern das Wetter es erlaubte, zweimal täglich zu Rundflügen, um die Aufenthaltsorte der markierten Tiere zu bestimmen.

Doc hatte mit der Freilassung der Jaguare abgewartet, bis er das Gebiet genauer erkundet hatte. Jetzt, wo sie frei waren, würde es wesentlich interessanter werden, ihnen auf die Spur zu kommen.

Das war mit Abstand der klarste Tag, an dem ich geflogen war, und ich verspürte keinerlei Drang, ins Lager zurückzukehren. Bei jedem Flug versuchte ich, den See auf einer anderen Route wieder zu erreichen, aber ich wich nicht allzu sehr vom Kurs ab, denn wir hatten nicht mehr viel

Treibstoff und ich konnte es mir nicht erlauben, ihn zu verschwenden.

Verglichen mit dem Fluss, war es leicht, auf dem See zu landen. Es gab nur geringen Seitenwind und die Strömung war schwach. Das Einzige, worauf ich achten musste, war das Paar Amazonasdelfine, das sich regelmäßig im See zeigte. Zum Glück hatten sie gelernt, in die Tiefe abzutauchen, wenn sie den Motor des Morpho hörten.

Ich glitt zum Strand hinüber, stellte die Maschine ab, dann sprang ich heraus und zog den Morpho auf den Sand. Ich breitete eine Plane über ihn, um das Gewebe vor der Zersetzung durch die Sonne zu schützen.

Ich erwartete ohnehin nicht, jemanden im Lager anzutreffen, aber jetzt, wo die Jaguare frei waren, schien es noch verlassener als sonst. Bis heute hatten mir die Raubkatzen während der langen Wartezeit zwischen den Flügen Gesellschaft geleistet.

Ich ging zu Docs Zelt und übertrug die Koordinaten vom Vormittagsflug in sein Logbuch. Sobald er an diesem Abend zurückkäme, würde er die Daten in seinen Computer eingeben. Das war alles, was ich bis zum späten Nachmittag, wenn mein zweiter Flug anstand, zu tun hatte.

Ich zog kurze Hosen an, nahm mir ein Handtuch und machte mich auf zum Felsen. Als ich dort ankam, fand ich ein weiteres Geschenk von Raul. Es war eine Art Nussschale, in die geometrische Muster geschnitzt waren. Er musste sie mit dem Messer, das ich ihm geschenkt hatte, eingeritzt haben. Ich langte in die Tasche und spürte einen Drehbleistift. Das war nicht viel, aber immer noch besser als ein Fünfdollarschein. Langsam gingen mir die Sachen aus, die ich ihm schenken konnte.

Ich legte mich zurück und ließ mich vom feuchten Dunst des Wasserfalls kühlen.

Doc war so beschäftigt gewesen, dass wir keine Gelegenheit gehabt hatten, das Gespräch, das wir auf dem Weg durch den Tunnel geführt hatten, fortzusetzen, aber ich hatte viel darüber nachgedacht. Es war absolut ausgeschlossen, dass er in Poughkeepsie zufrieden sein würde. Durch die Wildnis zu marschieren war für ihn so wichtig wie für andere das Atmen. *»Er ist jemand, der die Wildnis braucht und den Mond anheulen muss.«* In Poughkeepsie wurde man für derartiges Betragen eingesperrt. Ich hatte keinen Zweifel, dass Bills Traum in Erfüllung gehen würde, wenn Woolcott erst sähe, was Doc in derart kurzer Zeit erreicht hatte. Und was dann? Doc würde Brasilien und Flanna Lebewohl sagen, um bis an sein Lebensende glücklich und zufrieden in unserem Bauernhäuschen auf Poughkeepsie zu leben? Wohl kaum. Nein, Doc würde sich eine andere Lösung einfallen lassen müssen. Und wie ich es sah, gab es nur einen Ausweg aus dem Dilemma: Ich würde hier unten bei ihm bleiben müssen. Zumindest hoffte ich, dass es so ausgehen würde. Aber dann war da noch Taw – er würde mir fehlen. Und ich hatte ihm die Fahrt nach Arizona fest versprochen. Ich wusste nicht, ob er es ernst gemeint hatte oder ob er sich auch nur daran erinnern würde, dass er sich das gewünscht hatte. Aber falls es sein Wunsch sein sollte, dann würde es mir sehr Leid tun, ihn zu enttäuschen.

Spät am selben Nachmittag hob ich mit dem Morpho wieder ab. Überraschenderweise war Beth nicht mehr bei ihren Jungen. Sie war mindestens fünf Meilen von ihnen entfernt und schien sich weiter von ihnen abzusetzen. Doc hatte gesagt, Taw und Wild Bill wären groß genug, um allein durchzukommen, aber er war der Ansicht gewesen, Beth würde sich noch ein paar Wochen oder Monate in ihrer Nähe aufhalten.

Ich flog noch einmal über sie hinweg und kontrollierte die Messergebnisse. Die Tiere hatten sich eindeutig getrennt. Ich versuchte Doc über Funk zu erreichen, aber er antwortete nicht. Er musste seinen tragbaren Empfänger abgeschaltet haben.

Ich wendete den Morpho und flog zurück zum See.

Doc und Raul kehrten erst nach Einbruch der Nacht ins Lager zurück. Ich erzählte Doc, dass die Jaguare nicht mehr zusammen waren.

»Das ist interessant«, sagte er matt und schaute ins Logbuch. Er holte den Laptop aus dem Zelt und nahm einen frischen Akku aus dem Ladegerät, das von dem kleinen Generator, den wir mitgebracht hatten, gespeist wurde.

»Wie wär's mit etwas zu essen, Bob?«, meinte Flanna.

»Ich habe eigentlich überhaupt keinen Hunger.«

»Du solltest aber trotzdem etwas essen«, sagte sie entschlossen.

»Ich habe aber keinen Hunger!«

»Wie du meinst.«

Doc atmete tief durch. »Es tut mir Leid, Flanna. Ich wollte dich nicht anschreien. Ich glaube, ich bin einfach müde.«

»Du brauchst ein paar Tage Ruhe«, sagte sie. »Du hattest schwere Verbrennungen am Arm und jede Menge Stress. Du mutest dir zu viel zu.«

»Mit dem Arm ist alles in Ordnung.« Er hielt ihn hoch

und bewegte die Finger. Er trug seit einer Woche keinen Verband mehr.

Flanna sah ihn zweifelnd an.

»Raul hat heute eine alte Jaguarspur gefunden«, erzählte Doc. »Morgen werden wir uns auf den Weg machen und sehen, ob wir ihn aufspüren können... Raul behauptet, dass es ein Männchen ist. Wir werden höchstens ein paar Tage lang fort sein...«

»Ein paar Tage!« Flanna war ungehalten und ich konnte sie gut verstehen. Doc war nicht in der Verfassung, tagelang im Dschungel herumzuspazieren.

»Es dauert bestimmt nur ein paar Tage«, sagte er. »Wir müssen mehr Jaguare markieren.«

»Sei nicht dumm, Bob!« Flanna war jetzt wirklich wütend und dafür bewunderte ich sie. »Du brauchst eine Woche Ruhe, in der du nichts anderes tust als schlafen.«

»Ich ruhe mich aus, wenn wir hier wegfahren«, erklärte er. »Mir geht es bestens.« Er stand auf und stapfte in sein Zelt. Flanna folgte ihm.

Ich hörte sie bis spät in die Nacht miteinander sprechen. Ich hoffte, Flanna konnte ihn wieder zur Vernunft bringen.

17

Sie konnte es nicht. Am nächsten Morgen war Doc zur üblichen Zeit wach und packte seine Ausrüstung in den Rucksack. Er sah nicht gesund aus. »Doc, geht es dir gut?«

»Bestens«, sagte er und versuchte zu lächeln. »Wenn das Wetter ungünstig ist, bleib am Boden.«

»Flanna hat Recht«, sagte ich. »Du solltest warten, bis du wieder bei Kräften bist.«

»Jake, ich muss das einfach machen. Ich verspreche dir, dass ich mich da draußen vorsehen werde. Mach dir um mich keine Sorgen.«

»Gut.« Mir kam ein Gedanke. »Warum nimmst du mich nicht einfach mit? Ich könnte einen Teil von den Sachen tragen – dir ein wenig Last abnehmen.«

»Du musst hier bleiben und die Jaguare weiter beobachten. Ich bin ein bisschen beunruhigt, dass Beth nicht bei ihren Jungen ist. Da stimmt etwas nicht.«

»Was wirst du machen, wenn sie nicht wieder zu ihnen geht?«

»Wahrscheinlich gar nichts.«

»Also, warum lässt du mich dann nicht mitkommen?«

»Jake, du bist hier, um den Morpho zu fliegen. Ich komme schon klar.« Er umarmte mich flüchtig und streifte sich den Rucksack über die Schultern. Ein paar Augenblicke später waren er und Raul hinter einem Vorhang aus grünen Pflanzen verschwunden.

Nachdem er gegangen war, kam Flanna aus dem Zelt. »Dein Vater ist der größte Dickkopf, der mir je begegnet ist!«

Ich lachte.

»Was ist daran so komisch?«, fauchte sie.

»Du hörst dich genauso an wie jemand, den ich kannte.« Ich weiß nicht, wie oft ich meine Mutter genau dasselbe habe sagen hören, mit genau derselben Wut im Bauch.

Sie atmete tief durch. »Er ist ein Irrer!«

»Aber man muss ihn einfach gern haben.«

»Und das ist das Schlimmste daran! Er hat schon seit einer Woche Fieber. Und er meint, er kann sich wieder gesund *arbeiten.*« Sie schüttelte den Kopf. »Na ja, versucht haben wir es... Bist du bereit, etwas über das Klettern in den Bäumen zu lernen?«

»Jederzeit!«

»Sehr gut. Wenn du von deinem Vormittagsflug zurück bist, zeig ich dir mein Netz.«

»Was für ein Netz?«

»Du wirst schon sehen.«

Wild Bill und Taw waren in demselben Gebiet, in dem ich sie gestern schon aufgespürt hatte. Mit Beth lagen die Dinge anders. Ich kreiste und kreiste in dem Versuch, ihr Signal zu empfangen, aber ohne Erfolg. Ich fragte mich schon, ob ihr Halsband gestört war. Ich flog noch etwas herum, dann ging mir langsam das Benzin aus. Auf dem Rückflug zum See hörte ich weiterhin ihre Frequenz ab. Etwa auf halber Strecke empfing ich ein entferntes Signal. Es wurde lauter, je näher ich dem See kam, und noch einmal lauter, als ich den See überquerte. Was mochte sie vorhaben? Schließlich überflog ich sie einige Meilen westlich des Sees. Bei diesem Tempo würde sie in ein paar Tagen außer Reichweite des Morpho sein. Ich hoffte, sie würde zur Ruhe kommen. Als ich gelandet war, hatte ich so gut wie kein Benzin mehr. Ich nahm mir vor, in Zukunft etwas vorsichtiger zu sein. Doc wäre nicht sehr erfreut, wenn ich ihm sagen müsste, dass ich den Morpho verloren hatte, weil mir das Benzin ausgegangen war. Ganz davon zu schweigen, was Buzz sagen würde, wenn wir ihn schließlich wieder sähen.

Silver stand am Ufer. Er musste gerade von einem seiner Spaziergänge zurückgekehrt sein. Er sah erschöpft aus, half mir aber, den Morpho an Land zu bringen.

»Ihr habt die Jaguare also rausgelassen?«

»Gestern schon. Und Beth ist ziemlich reiselustig.« Ich sagte ihm, wo sie war.

»Wie sieht's denn auf der anderen Seite vom See so aus?«

»Wie meinen Sie das?«

»Weiß ich auch nicht genau«, sagte er. »Hast du irgendetwas Ungewöhnliches im Gelände gesehen, andere Seen vielleicht? Irgend so etwas.«

Ich schüttelte den Kopf. »Nur grünes Blätterdach. Sind Sie denn auf der Suche nach etwas Bestimmtem?«

»Nö. Mich interessiert einfach nur die hiesige Geografie. Wenn du wieder über der Gegend bist, halt die Augen offen und lass es mich wissen, wenn du etwas siehst.«

»Klar.«

Ich erzählte ihm, dass Doc und Raul für ein paar Tage fort waren. Er schien zu müde zu sein, um sich in irgendeiner Weise dafür zu interessieren. Er stieg in das Beiboot und legte ab in Richtung *Tito*.

Bevor ich Flanna besuchte, ging ich noch einmal zum Felsen, um zu kontrollieren, ob Raul den Drehbleistift auch wirklich mitgenommen hatte. Ich wollte ihn während Rauls Abwesenheit nicht verrosten lassen. Er war nicht mehr dort.

Über den Trampelpfad ging ich zu Flannas Königreich in den Baumkronen. An den wenigen Stellen, an denen das Sonnenlicht seinen Weg durch das dicke Blätterdach nach unten fand, wucherten dichte tropische Pflanzen. Aber kaum einer der Sonnenstrahlen gelangte bis dorthin. Das meiste Licht wurde schon dreißig Meter weiter oben geschluckt, wo sich die unterste Astschicht befand.

Ich kam an einen Strom aus roten Blütenblättern, der vor mir den Pfad überquerte. Eine fünf Zentimeter breite Kolonne von Blattschneiderameisen schleppte die Blätter zu ihrem unterirdischen Nest. Ich hatte gelesen, dass ihre Nester riesig waren und bis zu fünf Millionen Arbeiter umfassten. Die Eingänge von ein und demselben Nest können bis zu fünfzig Meter auseinander liegen. Die Ameisen fressen die Blütenblätter und das Laub nicht. Sie benutzen es, um unterirdische Pilzkolonien zu züchten.

Ich stieg über die Kolonne hinweg und ging weiter. Die riesigen Baumstämme, an denen ich vorbeikam, waren mit Moos und Pflanzen bedeckt. Luftwurzeln umschlangen sich gegenseitig und baumelten zu Boden.

Als ich bei ihrer Forschungsstation angekommen war, konnte ich Flanna nicht sehen. Ich legte den Kopf zurück, so weit ich konnte, und versuchte sie im dunklen Blätterdach ausfindig zu machen, aber ich entdeckte sie nirgends. Daher rief ich nach ihr.

»Bin gleich bei dir!«, gab Flanna zur Antwort.

Wenige Augenblicke später ließ sie sich am Ende eines Seils zu Boden fallen. Sie trug einen gelben Helm, Handschuhe, um den Hals hing eine Schutzbrille und eine Machete baumelte am Hüftgürtel. Es erinnerte mich an alte

Fotos von Taw in seiner Stahlarbeiterkluft, die ich gesehen hatte – ohne Machete allerdings.

Flanna weihte mich ungefähr eine Stunde lang in die Geheimnisse des Kletterns ein, bevor ich die Ausrüstung anlegen durfte.

»Wie bekommst du eigentlich das erste Seil in die Bäume hinauf?«, fragte ich.

»Wenn gute Schlingpflanzen am Stamm hängen, klettere ich ungesichert hoch. Wenn nicht, nehme ich Pfeil und Bogen.« Sie zeigte mir einen zusammenlegbaren Bogen und einen Köcher mit Pfeilen. »Die Spitzen verwende ich natürlich nicht.«

Sie nahm einen Pfeil, entfernte die Spitze und steckte einen anderen Aufsatz daran. Dann band sie eine dicke Angelschnur an den Aufsatz und spannte den Bogen. Sie beugte sich zurück, zielte und schickte den Pfeil hinauf in das Blätterdach. Er flog über einen Zweig und verhedderte sich im Geäst.

»Und jetzt kommt das Schwierige.« Sie zog an der Leine, bis der Schaft wieder freikam, dann gab sie vorsichtig Leine nach und ließ den Pfeil Zentimeter für Zentimeter absinken, bis er wieder auf dem Boden war. »Alles, was du tun musst, ist, das Seil an die Angelschnur zu binden und das Ganze dann über den Zweig drüberzuziehen. Natürlich bleibt es dauernd irgendwo hängen. Ich habe über vier Stunden gebraucht, um das erste Seil zu befestigen. Aber danach geht es meistens ziemlich flott. Bist du soweit?«

»Schätze schon.«

Sie gab mir Helm, Handschuhe und Schutzbrille. »Die Brille brauchst du erst, wenn wir oben in den Kronen sind. Viele Leute benutzen sie auch gar nicht, aber ich will mir keine Sorgen um meine Augen machen müssen, wenn ich da oben bin.«

Ich fing an mich am Seil hinaufzuhangeln. Es hatte eine spezielle Klammervorrichtung, die einen festhielt, während man sich den nächsthöheren Halt suchte. Es war viel schwieriger, als ich gedacht hatte. Ich musste fast jeden Meter anhalten, um Luft zu schöpfen. Flanna hielt mit mir an, aber es war klar, dass sie das nicht nötig hatte.

Auf den ersten gut dreißig Metern gab es nichts zu sehen als den mit Kletterpflanzen umrankten Stamm. Das änderte sich dramatisch, als wir die untere Schicht des Blätterdachs erreichten. Es war eine andere Welt – eine Welt, von der weder von unten noch von oben, aus dem Morpho, etwas zu sehen oder zu ahnen war.

Im Blätterdach lebte eine unglaubliche Fülle von Pflanzen und Tieren: Spinnen, Skorpione, Tausendfüßler, Eidechsen, Frösche, Schlangen und kleine bunte Vögel. Wir hielten an, um ein dreizehiges Faultier zu betrachten, das kopfüber am Ast hing. Sein langes Fell war grün gefärbt und war eine perfekte Tarnung auf dem moosbedeckten Ast, an den sich das Tier geklammert hatte.

Ich sah ein riesiges Spinnennetz, in dem einige große Tiere hingen, die in Seide eingesponnen waren.

»Fledermäuse und Vögel«, erklärte Fanna.

Was für eine Spinne frisst denn Fledermäuse und Vögel, dachte ich. »Und wie groß ist die so?«

»Frag lieber nicht.«

Es gab dutzende von Orchideen in den schönsten Farben und viele andere Pflanzen, die ich nicht kannte.

»Die meisten dieser Pflanzen sind verschiedene Arten von Flechten und Bromelien. Es sind Luftpflanzen«, erläuterte Flanna. »Hier oben gibt es keinen Humus. Sie beziehen ihre Nährstoffe aus kleinen Staubpartikeln, die im Regen gelöst sind.«

Sie fuhr fort zu erläutern, dass einige Bromelienarten Blätter haben, die sich übereinander legen und so Schalen bilden, die das Wasser auffangen.

»So wie diese hier.« Sie teilte vorsichtig die Blätter einer großen Pflanze. Auf dem Grund schimmerte eine kleine Wasserpfütze und in der Mitte der Pfütze saß ein leuchtend roter Frosch, nicht größer als mein Daumen. »Ein Pfeilgiftfrosch. Er heißt so, weil er ein giftiges Sekret absondert, das einige Stämme destillieren und auf Bogen- und Blasrohrpfeile streichen. Das grelle Rot dient dem Frosch dazu, potenziellen Räubern zu signalisieren, dass sie sich auf eine Überraschung gefasst machen müssen, falls sie vorhaben, einen kleinen Happen zu sich zu nehmen.«

Ein Stückchen weiter entdeckte ich ein grimmig aussehendes Insekt, das etwa zweieinhalb Zentimeter lang und von einer Art Schutzhülle umgeben war.

»Das ist eine Paraponera-Ameise. Man nennt sie auch Schuss-Ameise, so fühlt es sich nämlich an, wenn man von ihr gebissen wird.«

Sie war größer als jede andere Ameise, die ich jemals gesehen hatte. Und sie sah aus wie ein kleiner Panzer.

»Hör mal«, sagte Flanna. Sie brach einen langen Zweig ab und stupste die Ameise damit an. Diese wirbelte herum, die großen Kiefer weit geöffnet, und stieß einen bedrohlichen Schrei aus. Es klang genau so, wie Scarlet kreischen würde, wenn sie nur zweieinhalb Zentimeter groß wäre.

Endlich erreichten wir den Ast, an den die Seile gebunden waren.

»Hier machen wir Pause.«

Der Ast hatte etwa einen Umfang von einem Meter und war mit einem richtiggehenden Garten aus großblättrigen Pflanzen, Orchideen und Ananasgewächsen bedeckt – und mit Ameisen! Sobald ich mich setzte, fingen sie an nach mir zu schnappen. Ich flitzte weiter den Ast hinunter, um ihnen zu entkommen, und gelangte an einen Teppich aus dichtem Moos, der sich den ganzen restlichen Baumstamm hinaufzog. Nachdem ich geprüft hatte, dass sich darin nichts versteckte, was mich beißen würde, lehnte ich mich zurück. Es war so bequem wie in einem Lehnstuhl.

Ich schaute nach oben. Ungefähr zehn Meter über mir befanden sich mehrere Seile, die in die verschiedensten Richtungen führten.

»Das ist mein Netz«, sagte Flanna. »Damit komme ich von Baum zu Baum.«

Jetzt, als ich saß, spürte ich, wie der Baum vor und zurück schwankte. Es war ein bisschen beunruhigend.

»Du wirst dich gleich an die Bewegung gewöhnt haben«, beruhigte mich Flanna. »Es ist wie an Deck eines Schiffes. Du musst einfach nur lernen, dich im Einklang damit zu bewegen.«

»Solange man nicht runterfällt«, meinte ich.

»Ja, das kann allerdings wehtun.«

»Was für ein Baum ist das eigentlich?«

»Paranuss. Hast du Hunger?«

Ohne eine Antwort abzuwarten, stellte Flanna sich, so beiläufig, als stünde sie auf einem Bürgersteig in der Stadt, auf die Zehenspitzen. Sie griff zum nächsten Ast und zog eine Hülse herunter, die ungefähr so groß wie ein Fußball war. Diese setzte sie vor mir ab und öffnete sie mit einem

Hieb ihrer Machete. In der Hülse befanden sich zwanzig oder dreißig der köstlichsten Paranüsse, die ich je gegessen hatte.

Über uns bewegte sich plötzlich etwas und Scarlet landete auf dem Ast.

Flanna schien das nicht zu überraschen. »Sie kommt offenbar immer dann vorbei, wenn ich etwas zu essen habe.«

»Ich dachte, Scarlet kann dich nicht ausstehen.«

»Das ist vorbei.« Sie gab Scarlet eine Paranuss. »Sie kommt jeden Tag auf einen Sprung vorbei. Ihre Freunde sind allerdings immer noch ein bisschen scheu.« Sie deutete nach oben.

Der Schwarm hockte etwa fünfzehn Meter über uns.

Flanna erklärte, dass trotz der heftigen Regenfälle im Amazonasbecken drei Viertel der jährlichen Niederschlagsmenge von der Feuchtigkeit stammt, die über die Pflanzen in die Luft abgegeben wird.

»Wenn genug Bäume abgeholzt sind, wird der Niederschlagskreislauf zerstört und das Ergebnis werden längere Dürreperioden sein und das bedeutet dann das Ende für das Blätterdach und die Tiere, die hier leben.«

Mir wurde klar, dass die Jaguare nur einer von vielen Gründen waren, derentwegen der Regenwald geschützt werden musste. Der gewichtigere Grund lag hier im Blätterdach, wo, wie Flanna sagte, drei Viertel der Waldbewohner ihre Heimat hatten – und viele von ihnen berührten ihr ganzes Leben lang kein einziges Mal den Boden.

Außerdem wurde mir klar, dass Flanna ihre Arbeit in den Baumkronen mit derselben Hingabe betrieb wie Doc die seine auf dem Boden.

»Jetzt, wo du mein Gefangener bist«, sagte Flanna, »sollten wir uns vielleicht einmal über deinen wahnsinnigen Vater und mich unterhalten.«

Ich mochte Flanna, aber ich wusste nicht, ob ich schon bereit war, mit ihr darüber zu reden.

»Wir müssen nicht, wenn es dir unangenehm ist...«

»Nein«, sagte ich. »Ist schon in Ordnung.« Aber es kam mir schon ein bisschen merkwürdig vor, in einem Baum zu sitzen und mich mit der Freundin meines Vaters über ihn zu unterhalten.

»Ich möchte, dass du weißt, dass ich mitkommen will, wenn er mit dir zurück nach Poughkeepsie geht«, sagte Flanna.

»Und was wird aus deiner Arbeit hier?«

»Ich stelle es mir ganz schön vor, wieder mal ein bisschen in die Staaten zu gehen.«

»Hört sich an, als hätten Doc und du schon darüber gesprochen.«

»Ein bisschen«, erwiderte sie. »Er ist fest entschlossen zurückzugehen, damit du die Schule abschließen kannst.« Das waren keine guten Nachrichten. Ich hatte gehofft, er würde seine Meinung ändern, wenn er erst richtig an dem Projekt arbeitete.

»Ich weiß überhaupt nicht, was daran eigentlich so besonders schwierig sein soll«, warf ich ein. »Ihr habt alle beide euren Doktor gemacht. Wieso könnt *ihr* mir nicht beibringen, was ich wissen muss?«

Flanna lachte. »Mit demselben Argument bin ich ihm auch schon gekommen.«

»Und?«

»Und er hat nein gesagt.«

»Dickschädel!«

»Genau! Aber du darfst die Hoffnung noch nicht aufgeben. Wenn wir beide uns einig sind, bringen wir ihn vielleicht doch noch dazu, seine Meinung zu ändern.«

»Das wäre allerdings das allererste Mal«, sagte ich. »Aber es ist schön zu wissen, dass du auf meiner Seite bist.«

Flanna lächelte.

»Bist du bereit, ein Stück höher zu steigen?«

Ich verbrachte den restlichen Nachmittag mit ihr. Wir stiegen auf drei verschiedene Bäume hinüber. Um das zu erreichen, hängten wir uns kopfunter und hangelten uns an den gespannten Seilen entlang. Das Einzige, was uns gegen einen fünfzig Meter tiefen Sturz absichern sollte, war ein kleiner verchromter Karabinerhaken.

Als ich gerade wieder herunterklettern und ins Lager zurückkehren wollte, wurde der Wind heftiger und über dem Blätterdach zogen sich schwere, schwarze Wolken zusammen. »Sieht so aus, als wäre der Nachmittagsflug gestrichen«, sagte ich.

»Ich hatte eigentlich gehofft, dass das nicht ausgerechnet bei deinem ersten Mal hier oben passiert«, meinte Flanna.

»Ein kleines Unwetter macht mir nichts aus.«

Flanna zog die Augenbrauen hoch. »Suchen wir uns lieber ein gutes Plätzchen, um das hier heil zu überstehen.«

Wir kletterten auf eine ihrer Beobachtungsstationen, die ziemlich luxuriös ausgestattet waren. Sie bestanden aus Sperrholz, das komfortabel mit dickem Schaumgummi ausgepolstert und einer Plastikhülle überzogen war, damit der Schaumgummi nicht nass wurde. Eine wasserdichte Plane war über das Ganze gespannt und an den Seiten befanden sich Moskitonetze, um die Insekten fern zu halten.

»Diese Stationen sind für längere Aufenthalte eingerichtet«, erklärte Flanna, als wir hineinkrabbelten. »Ich bin mal drei Wochen auf einer Station geblieben. Nach einer Weile kam ich mir vor, als hätte ich mich in eine Bromelie verwandelt. Ich lag einfach nur da und sah dem Leben im Blätterdach zu, wie es sich so vor mir abspielte. Es war das Wundervollste, was ich je erlebt habe.«

Der Regen fiel jetzt in dicken, kalten Tropfen. Mir kam es vor, und es hörte sich auch so an, als säßen wir unter einem großen Wasserfall, aber das Schlimmste stand uns noch bevor. Sturmböen begannen durch das Blätterdach zu fahren und der Baum peitschte vor und zurück, wie ein Fernmeldekabel in einem Hurrikan. Ich war sicher, dass er jeden Moment zerbersten müsse.

Zum Glück war der Sturm so schnell wieder vorbei, wie er gekommen war. Danach wusste ich nicht, ob ich wegen des eisigen Regens so zitterte oder wegen meiner Todesangst.

»Das war ja gar nicht so schlimm, wie ich befürchtet hatte«, freute sich Flanna.

Und mir wurde an diesem Tag etwas klar. Ich hatte in meinem ganzen Leben noch keinen Menschen kennen gelernt, der so viel einstecken konnte wie Flanna. Sie und Doc waren wie füreinander geschaffen.

18

Am nächsten Morgen startete ich den Morpho schon früh, weil ich unbedingt wissen wollte, ob Beth weiter fortgezogen war. Bevor ich allerdings ihre Position überprüfte, flog ich nach Osten, um nach Wild Bill und Taw zu schauen. Sie befanden sich beide noch im selben Gebiet wie gestern. Ich ging schnell die Frequenzen der übrigen Tiere durch, denen Doc Halsbänder angelegt hatte. Das Signal des Paka war beinahe an derselben Stelle wie das von Wild Bill. Wenn das Signal beim Nachmittagsflug immer noch vom selben Ort käme, hieß das wohl, dass Wild Bill sich ein bisschen frisches Pakafleisch zum Frühstück besorgt hatte.

Ich überquerte den See wieder in westlicher Richtung und ortete das Signal von Beth beinahe sofort. Sie war nicht sehr weit gezogen und das war gut so. Allerdings erklärte das immer noch nicht, warum sie ihre Jungen verlassen hatte. Vielleicht war es einfach nur an der Zeit für Beth und auch für ihren Nachwuchs, sich um das jeweils eigene Leben zu kümmern.

Es war ein wundervoller Morgen! Der klare Himmel strahlte beinahe türkis, das Blätterdach breitete sich leuchtend grün unter mir aus und kein bisschen Dunst hing in der Luft. Irgendwo da unten streiften Doc und Raul auf der Suche nach Jaguaren umher. Ich hoffte, Doc würde sich schonen, aber irgendwie bezweifelte ich das.

Ich beschloss, meinerseits die Gegend ein wenig zu erkunden, und flog weiter nach Westen. Zehn Minuten lang flog ich immer geradeaus, dann kippte ich den Flieger nach rechts und machte mich auf den Rückweg zum See. Als ich die Kehre beendete, sah ich etwas, das mir auf dem Hinflug entgangen war. Es war ein kleiner Hügel, eine Kuppe, etwas höher als das ihn umgebende Blätterdach. Wenn das Licht nicht so günstig gewesen wäre, hätte ich ihn gar nicht bemerkt. Ich wusste nicht, ob das ungewöhnlich genug für Silver war, aber es war die einzige merkwürdige Formation, die ich bislang entdeckt hatte. Ich überflog den Hügel und stellte mit dem GPS die Koordinaten fest.

Als ich wieder am See war, trank Silver im Lager eine Tasse Kaffee. Er wirkte gut ausgeschlafen und ich wusste, es würde nicht lange dauern, bis er sich wieder auf einen seiner Spaziergänge begab. Ich erzählte ihm von dem Hügel und gab ihm die Angaben aus dem GPS. Er wollte wissen, wie hoch der Hügel war, welchen Umfang er hatte und womit er bedeckt war.

»Ich weiß es nicht«, sagte ich. »Es war halt so ein kleiner Hügel mit Bäumen drauf. Beinahe hätte ich ihn gar nicht bemerkt.«

»Na gut, vielleicht schau ich mir das Ganze mal an.«

»Was suchen Sie eigentlich, Silver?«

»Nichts Bestimmtes«, sagte er unschuldig. »Ich versuch nur, mir die Zeit zu vertreiben, solange wir hier sind. Schließlich gibt's für einen Skipper an Land nicht gerade viel Arbeit.«

»Sie könnten Doc helfen«, schlug ich vor.

»Ich glaube, in der Beziehung ist Raul kaum zu überbieten.«

Wahrscheinlich hatte er Recht. Ich holte mir ein Handtuch und ging zum Felsen.

Und da fand ich dann den goldenen Jaguar. Er lag genau an der Stelle, an die ich den Bleistift gelegt hatte. Die Figur war klein, etwa so groß wie mein Daumen, aber sehr schwer. Der Jaguar war in hockender Position dargestellt, als wolle er sich auf etwas stürzen. Sein goldener Leib war mit winzigen Tupfen besprenkelt.

Zuerst fragte ich mich, ob ich ihn wohl am Tag zuvor übersehen hatte. Aber ich wusste, das hatte ich nicht. So etwas hätte ich niemals übersehen können. Mein zweiter Gedanke war, er wäre gar nicht wirklich aus Gold und Silver hätte ihn als eine Art Scherz hierhin gelegt. Aber Silver machte keine solchen Scherze. Vielleicht waren Doc und Raul zurückgekehrt, während ich meinen Flug absolvierte. Aber woher hätte Raul etwas Derartiges bekommen sollen? Wenn das hier wirklich aus Gold war, dann war es eine Menge Geld wert.

Ich ging ins Lager zurück. Silver war immer noch da und trank eine weitere Tasse Kaffee. Ich hörte, wie Flanna in ihrem und Docs gemeinsamen Zelt rumorte.

»Haben Sie Doc und Raul irgendwo gesehen?«

»Hast du nicht gesagt, sie wären unterwegs, Jaguare suchen?«, fragte Silver nach.

»Ich habe mich nur gefragt, ob sie nicht vielleicht zurückgekommen sind, während ich mit dem Morpho fort war.« Flanna kam aus dem Zelt. Ich fragte, ob sie die beiden gesehen hätte.

»Nein«, sagte sie. »Wie kommst du darauf, dass sie zurück sein könnten?«

»Bloß so«, sagte ich. »Ich wollte es nur wissen.«

Ich ging zurück zum Wasser. Silver folgte mir.

»Was ist los, Jake?«

»Ich weiß nicht genau.«

»Bedrückt dich irgendwas?«

Ich nickte, öffnete die Hand und zeigte ihm den Jaguar. Als er ihn nahm, zitterte seine Hand leicht.

»Wo hast du das her?«

Ich zeigte auf den Felsen und erklärte, wie Raul und ich immer Geschenke für den anderen zurückgelassen hatten.

»Das war nicht Raul, der dir das hingelegt hat.« Er suchte mit seinem Blick das Ufer des Sees ab. »Und die anderen Sachen hat er dir auch nicht dagelassen. Ich hätte es wissen müssen!«

»Wovon reden Sie eigentlich?«

»Wir sind nicht allein.«

»Was soll das heißen?«

»Hier in dieser Gegend muss es einen noch unbekannten Stamm geben. Eine kleine Gruppe von Indios, von denen niemand etwas weiß. Die seit Ewigkeiten hier allein sind.«

»Wow!«

»Das ist eine sehr schlimme Situation, Jake.«

»Aber wieso?«

Er wurde laut. »Weil sie völlig unberechenbar sind, deswegen.«

»Aber die Geschenke«, wandte ich ein. »Warum sollten sie –«

»Keine Geschenke mehr! Du solltest überhaupt nicht mehr zu diesem Felsen gehen. Bleib einfach von da weg. Das würde sie sonst nur ermutigen. Vielleicht haben wir Glück und sie lassen uns in Ruhe.«

»Was ist mit Doc und Raul?«

»Was soll mit ihnen sein?«

»Sind sie in Gefahr?«

Silver dachte einen Moment lang darüber nach. »Ich glaube nicht, aber wir werden in Zukunft alle etwas vorsichtiger sein müssen.«

»Ich sage es besser Flanna«, meinte ich, als ich mich zum Gehen wandte.

»Warte.«

Ich dachte, Silver würde mir sagen, ich solle das bleiben lassen, aber stattdessen folgte er mir zum Lager.

Ich erzählte die ganze Geschichte noch einmal und zeigte Flanna den Jaguar. Sie stimmte mit Silver überein, dass ich nicht mehr zum Felsen gehen sollte.

»Ich will, dass Sie ein Gewehr bei sich tragen«, sagte Silver zu ihr.

»Vergessen Sie's, Silver! Ich stimme Ihnen zu, dass wir sie von jeder Kontaktaufnahme abhalten sollten, aber das heißt noch lange nicht, dass wir auf sie schießen müssen. Bis jetzt haben sie nichts Böses getan. Wir sind diejenigen, die nicht hierher gehören.«

»Was soll das denn heißen?«

»Wir sind das Schlimmste, was diesen Menschen überhaupt passieren kann. Sobald Bob und Raul zurück sind, sollten wir von hier verschwinden.«

»Ich finde, Sie übertreiben ein wenig«, sagte Silver. »Das hier ist der ideale Lagerplatz. Warum sollten wir ihn verlassen?«

»Er *war* ideal. Und ich übertreibe kein bisschen. Sie wissen genauso gut wie ich, was passiert, wenn wir mit diesen Menschen in Kontakt kommen. Wir gewinnen. Sie verlieren.«

Flanna stapfte hinein in den Regenwald und ließ Silver kopfschüttelnd zurück.

»Wenn mir das mal keine starrsinnige Frau ist«, meinte er. Ich dachte an die Indios, die ich in Manaus und in der Goldgräbersiedlung gesehen hatte. Flanna hatte Recht. Ein weiterer Kontakt mit Weißen konnte nichts Gutes für sie bedeuten.

»Ich möchte gern einen Blick auf die anderen Sachen werfen, die sie dir dagelassen haben«, bat Silver.

Ich ging in mein Zelt und holte die kleine Schachtel, in der ich die Geschenke aufbewahrte. Er nahm jedes einzelne davon heraus und betrachtete es genau.

»Hättest du was dagegen, wenn ich mir diese Sachen ausleihe?«, fragte er. »Ich habe da ein paar alte Bücher in der Kabine. Vielleicht stoße ich ja in einem davon auf eine Beschreibung von solchen Geschenken.«

Das schien mir ausgesprochen unwahrscheinlich zu sein, aber ich sagte Silver, es würde mir nichts ausmachen. Ich legte den goldenen Jaguar in die Schachtel und gab sie ihm.

19

Zwei Tage vergingen und noch immer kein Zeichen von Doc und Raul. Flanna und ich machten uns große Sorgen um die beiden. Silver meinte, unsere Befürchtungen kämen nur daher, dass wir jetzt von den Indios wüssten. Damit hatte er wohl nicht ganz Unrecht, zumindest was mich betraf. Immer wieder schaute ich zum dichten Waldrand hinüber und fragte mich, ob uns wohl jemand beobachtete.

Was mochte er über uns denken? Ob er wohl ein weiteres Geschenk auf den Felsen gelegt hatte? Fragte er sich, warum ich es nicht abgeholt und ihm etwas zum Dank zurückgelassen hatte? Ich musste mich wohl ein Dutzend Mal am Tag selbst davon abhalten, zum Felsen zu gehen und nachzusehen.

Der andere Grund für unsere Befürchtung lag jedoch in der ausgesprochen schlechten Verfassung, in der Doc das Lager verlassen hatte. Er hatte gesagt, sie würden in wenigen Tagen wieder zurück sein. Bei Docs mangelndem Zeitgefühl konnte das alles von einer bis zu einigen Wochen bedeuten. Das Einzige, was uns etwas beruhigte, war die Tatsache, dass Raul bei ihm war.

Also warteten wir. Silver blieb immer in der Nähe des Lagers, aber er redete nicht viel mit uns. Wenn er in der Nähe war, trug ich die Flinte bei mir, aber ich legte sie beiseite, wenn ich mit Flanna zusammen war, denn ich wusste, dass sie das nicht mochte.

Ich ging weiterhin auf Ortungsflüge. Wild Bill und Taw waren weitergezogen, aber sie befanden sich immer noch östlich des Sees. Beth war im Umkreis von fünf Meilen westlich des Sees geblieben. Offenbar gab es dort gute Beute.

Wenn ich nicht mit dem Morpho unterwegs war, half ich Flanna im Blätterdach. Es war ihr ernst damit, bei Docs Rückkehr fortzugehen. Den Großteil ihres Netzes hatten wir abgenommen, sodass sich nur noch zwei Beobachtungsstationen dort oben befanden.

Wir sprachen oft darüber, was den Eingeborenenvölkern Brasiliens widerfahren war. Über die Jahre waren Millionen Menschen getötet worden – ganze Stämme wurden durch die Ausbeutung des Regenwaldes ausgerottet. Sie sagte, die wirksamste Methode, um sie loszuwerden, sei es, einfach in ihre Dörfer zu gehen und sie anzuhusten.

»Für diese Menschen sind ein Grippevirus oder die Masern oft ebenso tödlich wie die Beulenpest oder AIDS«, erklärte sie mir. »Die Zivilisationskrankheiten sind genau die gleichen Waffen, denen auch schon hunderttausende von nordamerikanischen Indianern zum Opfer gefallen sind. Und hier werden diejenigen, die nicht an den Krankheiten sterben, von der westlichen Zivilisation zerstört. Sie arbeiten in den Minen und auf den Ölfeldern für nicht mehr als ein paar Pence am Tag und das Privileg, in völliger Verwahrlosung dahinvegetieren zu dürfen.«

Am Morgen des dritten Tages kehrte Doc zurück.

Flanna und ich waren oben in den Bäumen. Ich lag mit dem Gesicht nach unten auf einer der Beobachtungsstationen und schaute durch das Laubwerk, als ich unten auf dem Boden eine schwache Bewegung wahrnahm. Ich griff nach dem Feldstecher und rutschte zu einem Ende der Beobachtungsstation, damit ich einen besseren Blick hatte. Alles, was ich sehen konnte, war ein Paar schlammbedeckter Schuhe, das auf dem Boden lag. Der Wind bewegte den Ast, um den ich herumschauen wollte, und ich erhaschte einen Blick auf eine zerrissene Levis-Jeans.

»Das ist Doc!«, rief ich und krabbelte auf das Seil zu. Als ich auf dem Boden ankam, war Flanna schon unten und hatte bereits ihre Kletterausrüstung abgelegt. Sie wiegte Docs Kopf in ihrem Schoß. Seine Augen waren geschlossen, die Lippen geschwollen und aufgesprungen. Er konnte kaum atmen. »Wir müssen ihn ins Lager bringen«, sagte Flanna. »Er glüht richtig.«

Ich rannte. Als ich im Lager war, schrie ich nach Silver, aber er antwortete nicht. Ich nahm mir nicht die Zeit herauszufinden, weshalb. Ich packte die Jaguar-Trage und lief zurück in den Wald.

Flanna meinte, Doc hätte Malaria, aber sie war sich nicht sicher. Sie sagte, das sei nicht das erste Mal, was mir neu war. »Es könnte ein Rückfall sein«, sagte sie. »Bei Stress kann sie wieder ausbrechen. Oder aber er hat seine Antimalariapillen nicht genommen und sich neu infiziert.«

Das würde mich nicht überraschen.

Was auch immer er hatte, es war sehr ernst. Wir legten ihn in seinem Zelt auf ein Feldbett. Er hatte hohes Fieber und lag beinahe im Koma. Flanna tröpfelte ihm Wasser in den Mund und rieb ihn mit einem Schwamm ab in der Hoffnung, ihn damit abzukühlen. Mit Gewalt verabreichte sie ihm eine hohe Dosis Antimalariapillen.

»Das wird keinen Zweck haben, wenn es nicht Malaria ist«, sagte sie. »Ich fürchte, wir können nicht mehr tun, als zu versuchen, es ihm bequem zu machen und zu hoffen, dass das Fieber zurückgeht.«

Den ganzen Nachmittag und Abend blieb ich bei Doc im Zelt und brachte Wasser aus dem See, um ihm damit Kühlung zu verschaffen. Silver hatten wir den ganzen Tag noch nicht gesehen. Er hätte sich keinen schlechteren Moment aussuchen können, um sich auf einen seiner Spaziergänge zu begeben. Spät abends brachte ich einen weiteren Eimer Wasser vom See. Als ich ins Zelt kam, weinte Flanna.

»Ich weiß nicht, was ich machen soll, Jake. Ich glaube, es wird schlimmer!«

Der Mann auf dem Feldbett sah nicht aus wie mein

Vater. Im schwachen Schein der Lampe sah er aus wie der Geist von Robert Lansa. Ich brauchte all meine Kraft, um nicht selbst in Tränen auszubrechen. So durfte mein Vater nicht sterben. Flanna wischte sich die Tränen ab. »Immer noch kein Anzeichen von Silver?«

Ich schüttelte den Kopf. Ich hatte angenommen, er würde bis zum Abend zurück sein, aber er war nicht wieder aufgetaucht. Ebenso wenig wie Raul. Was mochte ihnen da draußen nur zugestoßen sein? Freiwillig hätte Raul Doc niemals in diesem Zustand allein gelassen.

»Hier können wir überhaupt nichts für ihn tun«, sagte Flanna. »Er braucht dringend medizinische Betreuung. Wir müssen ihn zu einem Arzt bringen.«

»Aber wie?«

»Mit dem Boot«, sagte sie.

»Und was ist mit Silver und Raul?«

»Die holen wir hinterher.«

Im Augenblick würde Doc eine Fahrt durch den Tunnel wahrscheinlich nicht überleben.

»Wer soll das Boot steuern?«, fragte ich. »Ich weiß nicht, wie das geht. Wenn wir im Tunnel auf Grund laufen, werden wir alle sterben, auch Silver und Raul. Das Boot ist die einzige Möglichkeit, die wir haben, um hier wieder wegzukommen.«

»Du hast Recht«, sagte sie. »Aber etwas müssen wir unternehmen.«

Ich hatte mich noch nie so hilflos gefühlt.

»Soll ich dich ablösen?«, fragte ich. Sie war Doc seit zwölf Stunden nicht mehr von der Seite gewichen.

»Nein. Mir geht es gut«, behauptete sie. »Ich wünschte nur, Silver käme endlich zurück!«

»Ich bin sicher, er kommt noch heute Nacht oder spätestens morgen früh«, sagte ich, war mir aber alles andere als sicher. Vielleicht war auch ihm etwas zugestoßen. Ich verließ das Zelt und ging hinunter zum Strand in der Hoffnung, ein brennendes Licht auf Silvers Boot zu sehen, aber alles war dunkel. Es war Vollmond und ich konnte die *Tito* deutlich neben der Mündung zum Tunnel schaukeln sehen.

Ich setzte mich und überlegte, wie ich meinem Vater helfen konnte. Am Morgen könnte ich versuchen Silver zu finden. Aber wo sollte ich anfangen zu suchen? Ich konnte nicht wie Raul Fährten lesen.

Vielleicht könnte uns der Stamm helfen, dachte ich. Die wüssten vielleicht, was Doc fehlte. Aber andererseits konnten sie es auch sein, die für seine Krankheit und Rauls Verschwinden verantwortlich waren.

Ich fragte mich langsam, ob es den unbekannten Stamm wirklich gab. Raul war nicht bei Doc und das hieß, er konnte den goldenen Jaguar dort hingelegt haben. Das erklärte allerdings immer noch nicht, woher er ihn haben sollte.

Ich spähte zum Felsen hinüber. Im Mondlicht konnte ich ihn deutlich sehen. Was, wenn dort ein weiteres Geschenk läge? Vielleicht würde das erklären, was hier vorging. Was konnte schon groß passieren, wenn ich einmal nachschaute?

Ich stieg auf den Felsen und machte die Taschenlampe an. Im Lichtschein war eine rostige Brille zu sehen. Ich nahm das Gestell in die Hand. Die Gläser fehlten. Raul trug keine Brille und auch niemand sonst in unserer Gruppe. Und ich bezweifelte, dass der Stamm einen Optiker hatte.

Wo sollten sie eine Brille herbekommen haben? Das war alles sehr verwirrend. Ich schaute auf den See hinaus. Der Vollmond spiegelte sich auf dem Wasser und ich erinnerte mich an etwas, das ich in Poughkeepsie gelesen hatte.

Ich rannte zum Beiboot, ließ den Motor an und raste über den See auf Silvers Boot zu.

Seine Kabine war nicht abgeschlossen. Ich ging hinein, machte Licht und fand schließlich das Buch, nach dem ich suchte. Ich brauchte eine Weile, um die richtige Stelle zu finden:

Ein Fluss, der neben der Stadt durch den Wald führte, stürzte sich einen hohen Wasserfall hinunter, dessen Dröhnen noch viele Meilen entfernt zu hören war. Unterhalb des Wasserfalls verbreiterte sich der Fluss zu sumpfigen Lagunen, über deren Abfluss sie nicht die geringste Vorstellung hatten.

Der Tunnel, dachte ich. Der See war keine »Lagune« und der Wasserfall war auch nicht meilenweit zu hören, aber wer weiß, was sich hier seit 1753 alles verändert hatte, als diese Beschreibung verfasst wurde? Der See, von dem im Buch die Rede war, befand sich angeblich in der Nähe der verlorenen Minen von Muribeca.

Ich schaute zu Silvers Schreibtisch hinüber und sah erstaunt, dass ein Funkhalsband darauf lag. Und noch erstaunlicher war die Tatsache, dass jemand dessen Sender abgetrennt hatte. Warum nur sollte er so etwas tun?

Neben dem Halsband lag die Schachtel mit meinen Geschenken. Ich machte sie auf. Darin waren der goldene Jaguar, verschiedene Federn, der Schildkrötenschädel, der blaue Stein, das getrocknete Piranhagebiss und ein neuer

Gegenstand – ein verrosteter, alter Kompass. Ich nahm ihn und drehte ihn um. Auf der Rückseite war eine Inschrift eingraviert. Sie lautete: COLONEL P. H. FAWCETT, 1924. Jetzt wusste ich, warum Silver unbedingt hierher kommen wollte.

Mit dem Beiboot fuhr ich zum Ufer zurück. Bevor ich nach Doc schaute, lief ich noch zum Versorgungszelt. Ein Empfänger und eine tragbare Antenne fehlten.

Silver hatte den Sender vom Funkhalsband abgeschnitten und ihn als Geschenk auf den Felsen gelegt. In diesem Moment war er draußen im Wald und ortete den Indio, der ihn mitgenommen hatte. Silver hoffte, der Indio würde ihn dorthin führen, wo er den goldenen Jaguar gefunden hatte.

Colonel Fawcett war ein mutiger Mann und ein großer Forscher. Aber er jagte etwas hinterher, was es nie gegeben hat. Die ergebnislose Suche hat ihn umgebracht, seinen Sohn und dessen Freund. Das ist eine Tragödie, so alt wie der Regenwald…

Silver hatte mich angelogen. Er hatte uns alle angelogen.

Flanna saß neben Docs Feldbett auf einem Stuhl; sie schlief. Ich berührte sie an der Schulter und sie schreckte sofort hoch.

»Warum gehst du nicht in mein Zelt und schläfst dort ein bisschen«, flüsterte ich.

»Bist du denn wach genug?«

»Ja. Ich bin hellwach«, sagte ich und das war nicht übertrieben.

»Ich bin bald wieder da. Leg einfach immer wieder kalte Kompressen auf.«

»Geht es ihm wenigstens ein bisschen besser?«

»Ich weiß nicht. Er hat gesprochen, aber nichts davon ergab irgendeinen Sinn. Wirre Fieberphantasien.«

Ich beobachtete Doc die ganze Nacht. Immer wieder fing er an zu murmeln, als hätte er einen Alptraum. Ich verstand nichts von dem, was er sagte. Gegen zwei Uhr morgens setzte er sich im Bett auf und schrie: »Pass auf, Beth! So dumm bist du nicht!«

Ich bekam einen solchen Schreck, dass ich beinahe rückwärts umgekippt wäre. Nachdem er das gesagt hatte, legte er sich wieder hin und sprach den Rest der Nacht kein einziges Wort mehr.

20

Flanna kam gleich nach Sonnenaufgang zurück. Ich überlegte, ob ich ihr von Silver erzählen sollte, entschied mich aber dagegen. Es würde ihr nichts nützen zu wissen, was er vorhatte. Im Augenblick war es nur wichtig, ihn zu finden und zu veranlassen, Doc hier rauszuschaffen.

»Alles unverändert«, sagte ich.

»Warum ruhst du dich nicht aus?«

»In Ordnung«, sagte ich, aber ich hatte keineswegs vor, mich auszuruhen. Ich ging aus dem Zelt.

In der Nacht hatte ich die Frequenz des Funkhalsbands, das Silver mitgenommen hatte, in Docs Logbuch nachgeschlagen. Ich hatte vor, mit dem Morpho aufzusteigen, das Signal per GPS zu orten und dann zu Fuß dorthin zu gehen. Die Schwierigkeit würde darin bestehen, Silver zu überreden, mit mir zurückzukommen.

Ich vermutete, dass er schon seit Jahren auf der Suche nach den verlorenen Minen von Muribeca war. Das würde eine ganze Reihe von Dingen erklären… die Bücher in seiner Bibliothek, sein Angebot, uns für einen so günstigen Preis stromaufwärts zu bringen und seine Entschlossenheit, durch den Tunnel zu fahren.

Über die wichtigste Frage wollte ich lieber gar nicht nachdenken. Hatte Silver das Boot in Manaus gesprengt, um uns hierher bringen zu können? War er schuld am Tod von Bill Brewster? Und falls ja, was würde ihn dann davon abhalten können, mich ebenfalls umzubringen, sobald ihm klar wurde, dass ich alles über sein Vorhaben wusste?

Ich ging hinunter zum See, zog die Plane vom Morpho und flog los. Beinahe sofort empfing ich das Signal des fehlenden Halsbands. Der Indio befand sich westlich des Sees, in der Nähe des Hügels, der wohl irgendetwas mit den Minen zu tun haben musste, wie ich annahm. Ich überflog das Signal und ortete die Stelle mit dem GPS.

Auf direktem Weg kehrte ich zum See zurück, ohne mir die Mühe zu machen, die markierten Jaguare zu kontrollieren. Sie konnten warten, mein Vater nicht.

Ich zog den Morpho an das Ufer und machte mich daran, die Plane darüber zu streifen.

»Feine Landung, Fliegerass.«

Ich drehte mich um. Hinter mir stand ein Mann. Er trug ein automatisches Gewehr und hatte eine Narbe im Gesicht – wenn diese inmitten all der Insektenstiche auch kaum noch zu erkennen war. Ich hoffte, er hatte die Fahrt durch den Tunnel genossen.

Meine Flinte lag ungefähr drei Meter von mir entfernt.

»Tu's nicht.« Er hob die Flinte auf und warf sie in den See.

So viel zu dieser Idee. »Was wollen Sie?«, fragte ich.

Er antwortete nicht. Ich hörte, wie jemand den Pfad vom Lager herunterkam. Es war Fred Stoats aus der Goldgräbersiedlung!

»Was ist im Lager los?«, fragte ihn der Mann, ohne seinen Blick von mir zu wenden.

»Ich habe niemanden gesehen, Tyler«, antwortete Fred.

»Was soll das heißen, du hast niemanden gesehen?«

»Das ist die reine Wahrheit!«, beharrte Fred.

»Was machen Sie denn hier, Fred?«, wollte ich wissen.

Er lächelte ein zahnloses Grinsen. »Ich habe euch doch gesagt, ihr hättet mich lieber flussaufwärts mitnehmen sollen.«

»Aber wie –«

»Halt's Maul!«, sagte Tyler und schlug mich mit dem Gewehrkolben nieder. »Bind ihn fest.«

Fred rollte mich herum und fesselte mir die Hände auf dem Rücken. Tyler richtete sein Gewehr auf mich. »Wo ist Colonel Silver?«

Colonel? »Er ist nicht hier«, sagte ich.

»Langsam werde ich ungeduldig.«

»Sag es ihm lieber«, riet mir Fred.

»Er ist vor ein paar Tagen fortgegangen, seitdem haben wir ihn nicht mehr gesehen. Ich habe keine Ahnung, wohin er gegangen ist.«

»Das werden wir schon noch feststellen«, meinte Tyler. »Und wer ist jetzt oben im Lager?«

Es hätte keinen Sinn gehabt zu lügen. »Flanna Brenna

und mein Dad. Sie sind in einem Zelt. Deswegen hat er sie auch nicht gesehen. Mein Vater ist krank und Flanna kümmert sich um ihn.«

»Das werden wir auch noch feststellen«, sagte Tyler. »Hoch mit dir.«

Ich stand auf.

»Und was soll ich jetzt machen, Tyler?«, fragte Fred.

»Wie wär's, wenn du mal für zehn Minuten den Mund hältst? Das wäre ziemlich hilfreich.«

Ich hatte das Gefühl, Tyler war nicht gerade ein Freund von Fred Stoats.

»Wir werden jetzt schön leise zum Lager gehen«, sagte Tyler. »Und wenn wir dort sind, wirst du nach ihnen rufen. Und wenn du irgendwelche krummen Dinger versuchst, werde ich den Finger hier um den Abzug legen und der Rest ist dann Schweigen. Hast du das verstanden?«

Ich nickte. Ich konnte hören, wie mir das Herz in der Brust pochte.

»Gut. Gehen wir.«

Als wir angekommen waren, ließ Tyler mich auf die Knie gehen. Er legte mir den Lauf seines Gewehrs an die Schläfe.

»Okay. Ruf sie her.«

»Flanna?«, sagte ich. Mein Mund war so ausgetrocknet, dass ich kaum sprechen konnte.

»Lauter.« Er stieß mir den Gewehrlauf an den Kopf.

»Flanna!«

Sie kam sofort raus und blieb wie angewurzelt stehen, als sie mich sah. »Was –«

»Komm einfach nur hier rüber, Schätzchen, und schließ dich uns an. Ansonsten werde ich den Kopf von diesem Knaben hier leider etwas verunstalten müssen.«

Flanna kam sehr langsam zu mir herüber und Tyler bedeutete ihr, sich neben mich zu knien. Fred fesselte auch ihr die Hände auf dem Rücken.

»Sie sind der Mann aus dem Krankenhaus«, sagte sie.

»Du kennst ihn?«, fragte ich fassungslos.

»Er ist einer von denen, die uns nach dem Unfall angeboten haben, uns flussaufwärts zu fahren.«

»Maul halten!«, schrie Tyler und richtete das Gewehr auf sie. Er schaute zum Zelt. »Dr. Lansa!«

»Er ist krank«, sagte Flanna. »Er kann nicht mal stehen!«

»Fred, geh hin und schau nach.«

Fred ging in das Zelt und kam sofort wieder heraus. »Sie sagt die Wahrheit. Er sieht überhaupt nicht gut aus.«

»Sind irgendwelche Waffen da drin?«

Fred ging wieder zurück und kam kopfschüttelnd heraus. »Das Zelt ist sauber.«

Tyler richtete das Gewehr auf mich. »Wo ist der Indio?«

»Welcher Indio?«

»Werd bloß nicht frech. Der, der euch da unten geholfen hat, den Jaguar zu fangen.«

»Der ist nicht mit uns gekommen.«

»Wahrscheinlich ist das das erste wahre Wort, das du heute von dir gegeben hast, mein Junge. Ein Indio mit einem Eimer voll Geld hat sicherlich was Besseres zu tun, als hierher zu kommen. Fred, durchsuch die übrigen Zelte.«

»Was hat das alles eigentlich zu bedeuten?«, fragte Flanna.

»Ich gebe euch beiden den guten Rat, lieber still zu sein«, sagte Tyler. »Ich bin sehr müde.«

Fred kam von den Zelten zurück. »Bloß Vorräte«, berichtete er.

»Fahr rüber zu Silvers Boot und schau, was du da findest.« Bis Tyler das Beiboot starten hörte, sagte er nichts mehr. »Okay«, meinte er dann. »Ich frage also noch einmal. Wo ist Colonel Silver?«

»Ich habe doch schon –«

»Nicht du! Sie!«

»Ich weiß es nicht«, sagte Flanna. »Er ist vor ein paar Tagen gegangen. Wir warten darauf, dass er zurückkommt, damit wir von hier fortkommen.«

»Und warum sollten Sie von hier fortwollen?«

»Weil Bob krank ist. Er braucht einen Arzt.«

»Aber Silver weiß nicht, dass er krank ist?«

»Er wurde erst krank, als Silver schon weg war«, sagte ich. Tyler setzte sich ungefähr drei Meter entfernt von uns hin und schaute uns einfach nur aus müden Augen an. Ich wusste nicht, wie es Flanna ging, aber mir machte das wirklich Angst. Nicht, dass ich nicht vorher schon Angst gehabt hätte, aber dass er einfach nur dasaß und uns anstarrte, ließ ihn noch viel bedrohlicher erscheinen. Ich hörte, wie das Boot angelassen wurde und über den See zurückkam. Kurz darauf erschien Fred wieder im Lager. Er hatte meine Geschenkschachtel bei sich.

»Was ist das?«

»Das habe ich in Silvers Kabine gefunden.«

Tyler kippte die Schachtel auf den Boden aus und betrachtete den Inhalt. Der goldene Jaguar war nicht dabei. Fred musste wohl beschlossen haben, dieses kleine Stück für sich zu behalten. Tyler hob den alten Kompass auf und las die Inschrift auf der Rückseite. Er lächelte.

»Jake, hast du vielleicht eine Ahnung, wo Colonel Silver das gefunden haben könnte?«

Ich schüttelte den Kopf.

»Verstehe.« Tyler stand auf. »Heb das Zeug auf, Fred.«

Als Fred sich bückte, um die Geschenke einzusammeln, fiel ihm etwas Helles, Glänzendes aus der Hemdtasche. Oh, oh, Fred. Er versuchte es mit der Hand zu verstecken, bevor Tyler es sähe, aber dafür war es schon zu spät.

»Zeig das her, Fred.«

Fred gab ihm die Figur. Er sah aus, als müsse er sich gleich übergeben.

Tyler betrachtete den Jaguar sehr genau. »Ich wünschte, das hättest du nicht getan, Fred.«

»Ich wollte ihn dir zeigen«, sagte Fred. Er trat ein paar Schritte zurück.

Tyler schoss ihm in die Brust. Fred stürzte nach hinten und schlug etwa drei Meter weiter auf dem Boden auf.

Flanna und ich starrten ihn an.

»Wie ihr seht«, sagte Tyler, »bin ich ein sehr ernster Mensch und jetzt verlange ich ein paar sehr ernste Antworten. Der Nächste, den es erwischt, wird dein Vater sein, Jake. Dann werde ich Flanna töten. Dann werde ich dich töten. Hast du das verstanden?«

Ich nickte.

»Gut. Und jetzt sag mir, wo Silver ist.«

Ich wusste nicht, was ich tun sollte. Wenn ich ihm nicht sagte, wie er Silver finden konnte, würde er uns womöglich einfach einen nach dem anderen erschießen und abwarten, bis Silver zurück ins Lager käme. Er könnte uns natürlich auch einfach so umbringen.

Er ging los, auf Docs Zelt zu.

»Warten Sie!«

Er blieb stehen und wandte sich wieder um.

»Silver sucht nach den verlorenen Minen von Muribeca!«

Er lächelte. »Hat er sie denn noch nicht gefunden?«

»Ich glaube nicht.«

Flanna war völlig fassungslos.

»Und was ist mit dem hier?« Er warf den Jaguar in die Luft und fing ihn wieder auf.

Ich erzählte ihm von den Geschenken, von dem Indiostamm und dem Funkhalsband.

»Der Colonel war schon immer ein schlaues Kerlchen.«

»Was haben Sie jetzt vor?«

»Also, zuerst einmal werde ich ein kleines Nickerchen machen. Der Colonel gehört nicht zu den Männern, denen man unausgeschlafen gegenübertreten sollte. Wir haben drei Versuche gebraucht, um den richtigen Nebenlauf zu finden, und ich habe kein so schönes Boot wie ihr. Und dann war da auch noch Fred – nicht gerade der beste Reisegefährte. Der einzige Grund, weshalb er mich begleiten durfte, war, dass Silver mein Boot sabotiert hat und ich ein neues brauchte. Fred hat mir geholfen, eins zu klauen.«

»Und was wird aus uns?«, fragte Flanna.

»Fürs Erste werde ich euch an getrennte Bäume fesseln. Ich kann es nicht gebrauchen, dass ihr dauernd herumlauft, während ich versuche ein bisschen zu schlafen. Und ich will auch nicht, dass ihr die Köpfchen zusammensteckt und große Pläne ausheckt. Das geschieht also nur zu eurem Schutz, das könnt ihr mir glauben.«

21

Tyler kletterte in die Hängematte vor dem Küchenzelt und schlief mit dem Gewehr auf der Brust ein. Flanna war, vielleicht etwas mehr als fünfzehn Meter von mir entfernt, an einen Baum gefesselt. Ich konnte sehen, wie sie versuchte sich zu befreien, aber ohne Erfolg.

Tyler wachte erst am späten Nachmittag wieder auf. Das Erste, was er tat, war, nach Doc zu sehen. Dann ging er zu Flanna und sagte: »Er ist am Leben, aber er sieht gar nicht gut aus.« Er ging in das Küchenzelt und aß irgendetwas, als er wieder herauskam.

»Ich schätze, ich bin jetzt langsam soweit aufzubrechen.« Er kam herüber und band mich los. »Du holst jetzt die Karte und zeigst mir, wo dieses Halsband ist. Und danach wirst du die Funkausrüstung holen und mir erklären, wie sie funktioniert.«

Ich brachte ihm die Karte und zeigte ihm die letzte geortete Position. Dann holte ich einen Empfänger und ein Halsband und zeigte ihm, wie man das Signal verfolgte.

»Was ist die Frequenz von dem Halsband, das ich suche?«

Ich nannte ihm die Zahlen, er tippte sie ein und richtete die Antenne auf. Er empfing das Signal nicht.

»Sie sind zu weit entfernt«, sagte ich. »Sie müssen erst bis auf fünf Meilen rankommen, bevor Sie es empfangen können.«

Das gefiel ihm gar nicht. »Gibt es irgendeinen Grund, warum ich dir vertrauen sollte?«

»Nein«, sagte ich. »Aber es ist mir absolut gleichgültig, was aus Silver wird. Er hat uns reingelegt!«

Tyler lachte. »So mag ich's.«

»Und was wird jetzt aus uns?«

»Ich werde dich wieder fesseln. Dann werde ich meinen alten Freund Silver suchen.«

»Was ist mit meinem Vater?«

»Ich fürchte, er muss sich um sich selbst kümmern.«

»Aber wir können ihn nicht einfach ganz allein im Zelt lassen«, rief Flanna.

»Tja, das ist aber zufällig ganz genau das, was wir tun werden«, sagte Tyler.

Er fesselte mich an einen Baum und verließ das Lager. Ich hörte, wie das Beiboot angelassen wurde und ablegte.

»Du hättest mir das von Silver erzählen müssen«, sagte Flanna.

»Ich habe es mir selbst auch erst gestern Nacht zusammenreimen können, aber du hast Recht, ich hätte es dir sagen sollen.«

Ich schaute zu Docs Zelt. Drinnen bewegte sich etwas. Einen Augenblick später stolperte Doc ins Freie und fiel zu Boden.

»Dad!«

»Bob!«

Er rappelte sich langsam wieder hoch und stand einen Moment lang da in dem Versuch, sein Gleichgewicht wieder zu finden. Ich hörte, wie der Motor des Beiboots erneut angelassen wurde und es wieder über den See kam.

»Was geht hier vor?«, wollte Doc wissen.

»Keine Zeit für Erklärungen«, sagte Flanna. »Du musst sofort zurück ins Zelt und dich tot stellen.«

Doc zögerte.

»Mach einfach, was Flanna sagt!«, rief ich.

Er drehte sich um und stolperte wieder hinein. Einen Augenblick später kam Tyler mit einem Rucksack über der Schulter zurück ins Lager.

»Falls Silver zufällig zurückkommen sollte, während ich weg bin, sagt ihm einfach, dass ich mich um die Boote gekümmert habe, und zwar auf die gleiche Weise, wie er sich um meins gekümmert hat. Wenn er die fehlenden Teile haben will, kann er mich ja suchen gehen. Ich hab sie alle hier drin.« Er schlug ein paar Mal leicht mit der flachen Hand auf den Rucksack.

»Und, Jake, ich hoffe nur, dass diese Ortungsgeschichte auch funktioniert. Falls nicht… Aber ich denke, du kannst zwei und zwei zusammenzählen. Einen schönen Tag noch.«

Tyler verließ das Lager. Flanna und ich schauten uns entsetzt an. Sie wartete ungefähr zehn Minuten, dann schrie sie Doc zu, dass er jetzt wieder herauskommen könne. Er kroch aus dem Zelt und kam auf wackligen Beinen zu mir.

»Was ist hier los?«, fragte er.

Er war in schlechter Verfassung und ich fürchtete, er würde in Ohnmacht fallen, bevor er mich losgeschnitten hätte.

»Du brauchst ein Messer, damit du die Seile durchschneiden kannst«, sagte ich sehr langsam.

Er nickte, stolperte zum Küchenzelt und kam mit einem Messer zurück. Ohne ein Wort trennte er meine Fesseln durch. Sobald ich frei war, brach er zusammen. Ich ging zu Flanna und schnitt ihr Seil durch. Dann rannten wir beide zu Doc.

»Ich hatte keine Zeit mehr, es dir zu sagen«, meinte sie, »aber bevor dieser Irre ins Lager kam, gab es bei deinem Vater Anzeichen der Besserung.« Sie wiegte Docs Kopf in ihrem Schoß. »Ich fürchte, er hatte einen Rückfall. Was ist hier eigentlich los, Jake?«

»Du weißt genauso viel wie ich. Silver sucht die Goldmine von Muribeca, und Tyler sucht ihn.«

»Wir müssen ein sicheres Versteck finden, bevor Tyler zurückkommt.«

»Der kommt so schnell nicht wieder.«

»In dem Moment, in dem er Silver gefunden hat, wird er –«

»Er wird ihn nicht finden«, versicherte ich ihr. »Ich habe ihm die Funkfrequenz von Beth gegeben, nicht die von dem Indio. Sie wird Tyler noch aus einer Meile Entfernung kommen hören. Er kommt nie im Leben nahe an sie ran.«

»Aber irgendwann kommt er wieder zurück.«

»Ich hoffe nur, ich finde Silver, bevor Tyler wieder hier ist.« Ich versuchte zuversichtlich zu klingen.

»Was soll das heißen?«

»Ich werde mich auf den Weg machen und nach ihm suchen.«

»Ich glaube kaum, dass das eine gute Idee ist, Jake.«

»Und wieso nicht?«

»Was, wenn Silver überhaupt nicht vorhat, uns zu helfen? Er steckt ganz tief in dieser Geschichte drin. Keiner kann wissen, was er tun wird.«

Diesen Teil des Plans hatte ich selbst noch nicht komplett ausgearbeitet, aber ich hatte keine Lust, das mit ihr zu diskutieren. Dafür war die Zeit zu knapp. Unsere einzige Hoffnung war, Silver zu finden.

»Vielleicht sollten wir jetzt lieber Doc zurück ins Zelt bringen«, sagte ich. »Wir können später immer noch darüber reden.«

»Du hast Recht.«

Wir trugen ihn zurück ins Zelt.

»Ich geh runter, mehr Wasser holen«, sagte ich.

Ich rannte zum See und stieg in das Beiboot. Tyler hatte die Zündkerze aus dem Motor genommen, also musste ich zum Boot hinüberrudern. Ich fand Silvers Unterwassertaschenlampe, eine Schachtel Patronen und ein paar trockene Lumpen. Ich wollte die Flinte, die Tyler in den See geworfen hatte, wieder finden. Flanna würde hoffentlich ihre Meinung über Schusswaffen ändern, falls er zurückkehren sollte, wenn ich noch unterwegs war.

Ich kletterte wieder in das Beiboot und paddelte bis zu der Stelle, an der Tyler die Flinte meiner Erinnerung nach versenkt hatte. Ich zog mir die Kleider aus und tauchte. Der See war hier tiefer, als ich erwartet hatte. Auch hatte ich gedacht, dass es in der Mitte so eben und sandig sei wie am Ufer, aber stattdessen war der Grund mit riesigen quaderförmigen Steinen übersät. Die Luft ging mir aus und ich musste auftauchen.

Ich tauchte noch einmal. Gerade als ich den Grund erreichte, schoss etwas sehr Großes auf mich zu, das hinter den Steinen verborgen gewesen war. Ein Amazonasdelfin! Ich bekam einen solchen Schrecken, dass ich mich beinahe verschluckt und die Lungen voll Wasser bekommen hätte. Der Delfin schwamm ein paar Zentimeter an mir vorbei und verschwand wieder im Dunkeln. Ich richtete die Taschenlampe auf das Kielwasser des Delfins und sah etwas im Licht aufblitzen. Ich wusste, dass es nicht die

Flinte sein konnte, aber ich schnappte es mir trotzdem, dann tauchte ich wieder an die Oberfläche, um Luft zu holen.

Mit der linken Hand hielt ich mich an der Bordwand des Beiboots fest und atmete tief durch. Ich öffnete die rechte Hand und starrte voller Verblüffung darauf. Es war ein weiterer goldener Jaguar, ungefähr dreimal so groß wie der erste. Mir wurde klar, dass die Steine unter dem Wasser womöglich nicht einfach nur große Felsbrocken waren, sondern vielmehr die Überreste einer Stadt, die mit den Goldminen von Muribeca in Zusammenhang stand. Der Rest der Stadt befand sich wahrscheinlich überall um uns herum, begraben unter Jahrhunderte alten Schichten tropischer Zersetzung. Silver brauchte nicht weiter zu gehen als bis zum Rand unseres Lagers, um seinen wertvollen Schatz zu finden.

Es blieb keine Zeit, meine Entdeckung zu feiern. Zunächst musste Doc von hier fortgeschafft werden und unser einziger diesbezüglicher Hoffnungsträger wurde gerade von einem Psychopathen gejagt. Ich musste Silver finden, bevor Tyler es tat.

Ich tauchte wieder, aber ohne Erfolg. Beim Auftauchen schaute ich in den Himmel. Dunkle, hässliche Wolken zogen auf und die Bäume um den See herum fingen an zu schwanken. Nur ein Tauchgang noch, sagte ich mir. Ich sah den Delfin wieder, aber diesmal hielt er Abstand. Ich suchte, bis ich das Gefühl hatte, meine Lungen würden platzen. Dann sah ich die Flinte. Sie lag auf dem Grund, neben einem besonders großen Stein. Ich packte die Flinte und schwamm an die Wasseroberfläche.

Dann kletterte ich in das Beiboot und ruderte zum Ufer.

Dort zerlegte ich die Flinte und trocknete sie mit den Lumpen ab. Als ich fertig war, rannte ich zurück zum Lager.

Flanna war bei Doc im Zelt. Still legte ich die Flinte mit der Patronenschachtel vor den Zelteingang, dann ging ich mit dem Eimer voll Wasser hinein.

»Wie geht es ihm?«

»Nicht gut.« Sie tauchte ein Tuch in den Eimer und fing an ihn abzureiben.

Ich schlüpfte wieder nach draußen und ging zu dem Zelt, in dem wir unsere Ausrüstung aufbewahrten, wo ich mir zwei Rollen Kletterseil griff. Das würde hoffentlich reichen. Ich rannte zurück zum See, ließ den Morpho an und hob ab. Bevor ich das Gebiet verließ, überflog ich das Lager und wackelte mit den Tragflächen. Flanna kam aus dem Zelt, um nachzusehen, was los sei. Wünsch mir Glück, Flanna, dachte ich und flog westwärts.

22

Als ich eine Höhe von tausend Fuß über dem Blätterdach erreicht hatte, brach ich den Steigflug ab. Der Wind war äußerst heftig hier oben und ich hatte permanent mit dem Steuerknüppel zu kämpfen. Das war nicht gerade optimales Flugwetter. Mein einziger Trost war, dass ich nicht lange hier oben bleiben würde.

Ich empfing das Signal und flog darauf zu, bis ich mich genau über ihm befand. Dann mal los, dachte ich. Ich schaltete den Motor ab.

Es wurde sehr, sehr still. Ich stieß die Nase nach vorn, zum Sturzflug. Als der Höhenmesser zweihundert Fuß anzeigte, legte ich den roten Schalter um. Es machte laut *Plopp* und keine Sekunde später zog ein heftiger Ruck mich nach oben, als sich der Fallschirm mit Luft füllte. Ich nahm all meinen Mut zusammen, als ich zum Blätterdach hinunterschwebte. Tut mir Leid, Buzz.

Der Aufprall war zunächst sanfter, als ich erwartet hatte. Der Morpho landete auf dem Blätterdach und blieb dort einen Moment liegen. Dann kam ein lautes Krachen und ich stürzte ungefähr acht Meter in die Tiefe, bevor ich so ruckartig zum Stillstand kam, dass mir beinahe die Knochen zersplittert wären. Erleichtert seufzte ich auf. So weit, so gut.

Ich sah mich nach einem Ast um, um den ich ein Seil schlingen könnte, aber in der Dunkelheit konnte ich kaum etwas erkennen. Eine Windbö kam und ich wurde plötzlich nach oben gerissen. Der Wind hatte den Fallschirm wieder gefüllt! Die linke Tragfläche des Morpho krachte in einen Ast und verzog sich, als wäre sie ein Stück Draht. Dann brach die rechte Tragfläche ab. Ich schaute nach unten. In fünfzig Metern Höhe baumelte ich frei über dem Boden. Die einzige Hoffnung, lebend hier herauszukommen, war, herumzuschwingen und eine der Lianen an einem Baumstamm zu fassen zu bekommen. Ich band die beiden Seile aneinander und ließ das eine Ende fallen. Der Morpho rutschte noch einmal drei Meter ab, dann hakte er sich wieder fest. Das, was ich jetzt tat, war wahrscheinlich das Dümmste, was ich je gemacht hatte.

Ich fing an den Morpho vor und zurück zu schaukeln. Dann griff ich nach der nächsten Liane, verfehlte sie aber um mindestens zwei Meter. Noch zweimal ausholen, dachte ich mir, dann müsste ich genug Schwung haben, um sie zu erwischen. Mit dem nächsten Versuch kam ich ihr schon näher, aber nicht nahe genug. Ich wusste, dass ich die Liane auch beim nächsten Versuch nur erreichen konnte, wenn ich den Sicherheitsgurt ablegte und mich nach außen lehnte. Schnell schlang ich mir das Seil um das Handgelenk, öffnete den Gurt und zog die Beine unter mich auf den Sitz. Ich wartete bis zum allerletzten Moment. Dann, als der Morpho am höchsten Punkt war, hechtete ich nach dem Baumstamm.

Mit aller Kraft klammerte ich mich an den Lianen fest. Ich hörte, wie etwas lautstark zerriss, und schaute mich um. Der Morpho stürzte in die Tiefe. Jetzt musste ich nur noch zurück auf den Boden kommen, was verglichen mit dem, was ich soeben hinter mich gebracht hatte, eine eher leichte Übung zu werden schien.

Ich hörte ein lautes Kreischen und Scarlet schlug ihre Krallen ungefähr fünf Zentimeter vor meinem Gesicht in den Stamm. Ich wäre fast vom Baum gefallen.

»Was machst du denn hier?«, schrie ich.

Ihre Augen weiteten sich und der ungefiederte Bereich um den Schnabel herum wurde leuchtend rot. Dass mir ein wütender Ara ein Ohr abriss, hätte mir jetzt gerade noch gefehlt.

»Ist schon gut, Scarlet«, sagte ich leise und versuchte sie zu beruhigen. »Wir schaffen das schon.«

Entweder war sie dem Morpho gefolgt oder aber Silver war ganz in der Nähe. Sie kreischte noch einmal und flog wieder davon. Ich war froh, dass sie weg war.

Ich band das Seil um die dickste Liane, die ich zu fassen bekam, und prüfte sie, indem ich daran zog. Dann ließ ich mich sehr langsam am Seil hinab und passte gut auf, dass ich immer etwas zu fassen bekam für den Fall, dass die Liane doch nicht halten sollte.

Einmal packte ich in einen dicken Klumpen Spinnennetz und zuckte mit der Hand zurück, als hätte ich ins Feuer gelangt. Ich bin kein Freund von Spinnen – vor allem nicht von großen Spinnen, die Fledermäuse und Vögel fressen. Zum Glück hatte ich die Spinne nicht aufgeschreckt, ich sah sie nicht einmal. In dem Fall hätte ich nämlich wahrscheinlich einen Herzanfall bekommen.

Als meine Füße endlich wieder den Boden berührten, brach ich zusammen und wäre vor Dankbarkeit beinahe in Tränen ausgebrochen. Ich schloss die Augen. Als ich sie wieder öffnete, stand Silver direkt vor mir und Scarlet hockte auf seiner Schulter.

»Das war ein ganz schön beeindruckender Auftritt«, meinte er.

Ich schaute zu ihm auf und sagte gar nichts.

Er betrachtete das Seil. »Die Landung auf den Bäumen war kein Unfall, darf ich vermuten.«

Zumindest brauchte ich ihn jetzt nicht mehr zu suchen, dachte ich. Ich fühlte eine Mischung aus Erleichterung und Hass.

»Was tust du hier, Jake?«

Ich stand auf. Meine Beine zitterten so sehr, dass ich mich am Baum festhalten musste, um nicht wieder hinzufallen.

»Und was machen *Sie* hier?«

»Ich habe gehört, wie der Motor des Ultraleichtfliegers abgeschaltet wurde, und da wusste ich, dass es ein Problem gibt.«

»Das meine ich nicht!«, schrie ich. »Sie sind hier draußen, um nach den verlorenen Minen von Muribeca zu suchen. Deshalb haben Sie uns auch angeboten, uns hierher zu bringen. Deswegen haben Sie darauf bestanden, durch den Tunnel zu fahren. Deswegen wollten Sie nicht, dass ich noch irgendwelche anderen Geschenke auf den Felsen lege. Ich weiß Bescheid über den Sender, den Sie dorthin gelegt haben.«

Er betrachtete mich gelassen. »Das hast du schön zusammengefasst«, meinte er. »Und jetzt erzähl mir, warum du hier bist.«

»Doc ist krank und braucht Hilfe.«

»Was ist passiert?« Er schien aufrichtig besorgt zu sein. Ich erzählte ihm, wie Doc allein ins Lager zurückgewankt kam. »Wenn Sie nicht hier draußen wären, auf der Suche nach dieser blöden Mine, könnten wir schon längst wieder auf der anderen Seite des Tunnels sein.«

Silver runzelte die Stirn und schüttelte den Kopf. »Aber das konnte ich doch nicht ahnen, Jake. Es tut mir Leid.«

Das brachte mich ein bisschen aus der Fassung. Er schien es ehrlich zu meinen.

»Und jetzt ist auch noch Ihr Freund Tyler hier«, sagte ich.

Er erstarrte. »Wo?«

»Auf einer Jaguarhatz mit Beth. Zumindest hoffe ich, dass er dort ist. Er glaubt allerdings, dass er Sie verfolgt.«

»Ich muss alles wissen, was Tyler gesagt hat, alles, was er getan hat.«

Als ich alles berichtet hatte, setzte er sich und lehnte sich gegen einen Baum. Plötzlich sah er sehr erschöpft aus. »Tyler wird in praktisch jedem Land südlich von Mexiko gesucht, auch in Brasilien. Ihr habt Glück, dass er euch nicht umgebracht hat.«

»Ich glaube, er hat das nur etwas aufgeschoben.«

»Zweifellos.«

Silver fuhr damit fort zu erzählen, dass er und Tyler gemeinsam in Vietnam gewesen waren. Nach dem Krieg hatte er Tyler überredet, auf der Suche nach den verlorenen Minen von Muribeca mit ihm nach Brasilien zu gehen.

»Wir folgten der wahrscheinlichen Route Fawcetts nach Mato Grosso. Um unsere Expedition finanzieren zu können, heuerten wir bei den jeweils Meistbietenden an. Zum Teil waren das ziemlich unangenehme Typen.«

»Sie waren Söldner?«, fragte ich.

»Bezahlte Schützen«, erwiderte er traurig. »Es dauerte zehn Jahre, bis uns klar war, dass Mato Grosso eine Sackgasse war. Tyler hatte die Schnauze voll von der Suche und fand eine andere Art, zu Gold zu kommen. Er stieg in den Drogenhandel und Waffenschmuggel ein. Unsere Wege trennten sich. Ich ging nach Ekuador, lernte Alicia kennen, Tito wurde geboren. Ich wollte nie wieder nach der Mine suchen, aber dann verschwand meine Familie. Ich kaufte ein Boot und suchte jahrelang nach ihnen. Schließlich gab ich es auf und nach einer Weile fing ich wieder an, nach der Mine zu suchen. Ich hatte nichts anderes zu tun.

Ich fand heraus, dass die Minen und die versunkene Stadt sich irgendwo in dieser Gegend befinden mussten, aber ich hatte weder das Geld noch die Genehmigung, um das Gebiet zu erreichen.

Dann tauchten Bill und dein Vater auf. Ich bot meine Dienste an, aber sie lehnten ab und besorgten sich ein eigenes Boot. Tyler fand irgendwie heraus, dass ich neue Informationen über die Minen hatte. Er kam nach Manaus und sagte, er sei wieder dabei. Ich beharrte darauf, dass es keine neuen Informationen gäbe, aber natürlich kaufte er mir das nicht ab.

Er befand sich in einer aussichtslosen Lage … auf der Flucht, ohne Geld. Ich erklärte ihm, dass ich kein Geld für die Expedition hätte und auch keine Genehmigung, um hierher zu fahren und die Gegend zu erkunden. Ich machte den Fehler, ihm von Bills Forschungsgenehmigung zu erzählen. Und als Nächstes explodierte das Boot.«

»Also hat er das Boot in die Luft gesprengt?«

»Ich bin mir nicht sicher. Aber er ist Spezialist für solche Sachen. Es wäre ihm ein Leichtes gewesen. Ich glaube, er hatte vor, ein Boot zu stehlen und euch dann seine Dienste anzubieten, und nur deswegen habe ich deinen Vater auch schon so bald nach Bills Tod angesprochen. Tyler kann sehr charmant sein, wenn er sich etwas davon verspricht.«

Das war nicht der Tyler, den ich kannte.

»Und dann ist er uns gefolgt«, schloss ich.

»Nein, er ist uns vorausgefahren. Bei seinem Einbruch in die Kabine hat er eine Karte gefunden. Darauf waren vier verschiedene Nebenläufe als mögliche Zufahrten zu dem See eingezeichnet. Er wartete in der Goldgräbersiedlung und ich glaube, er hatte vor, uns bis zum richtigen Nebenlauf zu folgen. Während ihr unterwegs wart, um den Jaguar zu fangen, habe ich sein gestohlenes Boot entdeckt und den Motor lahm gelegt. Nach einer Woche am See dachte ich, wir wären in Sicherheit.«

»Sie wussten also die ganze Zeit, dass er in der Stadt war?«

»Ich fürchte, ja, Jake.«

Ich erzählte ihm von den Fehlversuchen auf den anderen Nebenläufen, die Tyler und Fred gemacht hatten.

»Das erklärt die Verzögerung«, sagte er.

»Sie haben sich keinen guten Zeitpunkt ausgesucht, um das Lager zu verlassen.«

Er nickte. »Ich wusste, dass Flanna wegen des Stammes hier rauswollte. Ich aber wollte nicht weg, bevor ich nicht herausgefunden hatte, ob die Minen von Muribeca hier wären oder nicht. Ich musste fort, bevor Doc zurückkam.«

»Haben Sie die Minen denn gefunden?«

»Habe ich. Und du bist derjenige, der mich auf die richtige Spur gebracht hat. Die Minen von Muribeca liegen in dem Hügel, den du aus der Luft gesehen hast.«

»Und was wollen Sie jetzt unternehmen?«

»Gar nichts.«

Das verblüffte mich. Damit hatte ich nicht gerechnet.

»In den letzten Wochen habe ich viel nachgedacht«, erklärte er. »Vor allem über meinen Sohn Tito und das ganze Problem mit den Indios hier unten. Was, wenn er tatsächlich im Regenwald lebt, so wie diese Leute – glücklich, zufrieden mit seinem Leben? Und dann kommt plötzlich irgendein gieriger Nichtsnutz wie ich daher und nimmt ihm das alles weg. Das wäre nicht richtig und ich muss leider zugeben, dass mir dieser Gedanke nie in den Sinn kam, bevor ich dich, Flanna und Doc kennen gelernt habe. Ich weiß, wo das Gold ist, und das muss genügen.«

»Und wie lange wird das ›genügen‹?«, fragte ich.

»Hoffentlich für den Rest meines Lebens«, antwortete er. »Ich glaube, ich bin kuriert.«

Ich hoffte, dass er Recht hatte.

»Unser großes Problem ist jetzt Tyler«, fuhr Silver fort.

»Ich finde, wir sollten ihn einfach hier zurücklassen«, meinte ich.

»Das können wir leider Gottes nicht machen. Er ist Spezialist, was das Überleben im Dschungel angeht. Irgendwann wird er auf den Stamm treffen und einen Indio nach dem anderen umbringen, bis er endlich hat, was er will. Diese Art Arbeit hat er früher schon für Öl- und Bergbauunternehmen erledigt, wenn die der Ansicht waren, dass die ursprüngliche Bevölkerung sich nicht mit ihren Plänen verträgt. Das ist einer der vielen Gründe, aus denen er gesucht wird. Ich darf das nicht zulassen.«

»Werden Sie ihn töten?«

»Nur, wenn es sich nicht vermeiden lässt«, sagte er.

»Dann ...«

»Ich werde versuchen ihn zu fangen und ihn den Behörden zu übergeben.«

»Aber was sollte ihn daran hindern, aller Welt von Muribeca zu erzählen?«

»Seine Gier wird ihn davon abhalten. Tyler ist nicht dumm. Irgendwie wird er es schaffen, wieder aus dem Gefängnis heraus- und hierher zurückzukommen. Er wird niemandem etwas von diesem Ort erzählen, bevor er sich nicht seinen Anteil gesichert hat. Wann immer er wieder kommen sollte, werde ich da sein und auf ihn warten. Na ja, und das ist dann der Punkt, an dem ich ihn vielleicht töten muss.« Er lächelte. »Meine Aufgabe ist es, dafür zu sorgen, dass die Minen von Muribeca ein Mythos bleiben. Ich habe mir überlegt, dein Vater könnte mich vielleicht als Sicherheitskraft für das Reservat anstellen wollen.«

»Wenn er überlebt, werde ich ein gutes Wort für Sie einlegen. Aber was machen wir jetzt?«

»Wir haben drei Probleme, um die wir uns kümmern müssen. Deinen Dad, Tyler und unseren Freund Raul.«

»Raul?«

»Ich weiß, wo er ist. Es ist sogar erst zwei Stunden her, dass ich ihn zuletzt gesehen habe. Er ist von unseren unbekannten Freunden gefangen worden. Zwar ist er nicht verletzt und seine Lage scheint ihm auch nicht fürchterlich viel auszumachen, aber wir können ihn nicht einfach zurücklassen. Ich habe keine Ahnung, was sie mit ihm vorhaben. Als du durch die Bäume gerattert kamst, habe ich gerade gewartet, bis es dunkel wird, damit ich ihn losschneiden kann.«

23

Das Lager des Stammes lag gut versteckt auf einer kleinen Lichtung. Als wir es erreichten, war es schon fast dunkel. Dort gab es nur ein einziges, hufeisenförmiges Bauwerk, das aus Pfählen errichtet und mit getrockneten Blättern bedeckt war. Das Dach war kuppelförmig und ziemlich hoch. Es gab mehrere voneinander getrennte Kammern, die zur Mitte des Hufeisens hin ausgerichtet waren und vor denen kleine Herdfeuer brannten. Raul saß vor einem der Pfähle auf dem Boden.

Wir waren ungefähr hundert Meter entfernt und versteckten uns unter einem umgestürzten Baum. Scarlet saß auf dem Baum und putzte sich das Gefieder.

»Was ist, wenn Scarlet schreit?«, fragte ich.

»Scarlet und ich sind schon sehr lange zusammen«, sagte Silver. »Sie weiß, wann sie still sein muss.«

Er richtete ein kleines Stativ und ein Zielfernrohr auf. Ich schaute durch. Rauls Arme und Beine waren mit Lianen an den Pfahl gebunden. Silver hatte Recht damit, dass ihm diese Situation nicht fürchterlich viel auszumachen schien. Eine Frau kam zu ihm und fing an ihn aus einer großen Kürbisflasche zu füttern. Er lächelte und schluckte das Essen hinunter wie ein Vogeljunges.

»Sind Sie sicher, dass wir ihn befreien sollen?«, flüsterte ich.

»Ich habe dir doch gesagt, dass es ihm nicht viel ausmacht.« Silver lächelte. »Das ist dieselbe Frau, die ihn schon heute Nachmittag gefüttert hat. Ich finde, wir sollten ihn wenigstens da rausholen und fragen, was passiert ist und was er machen will.

Das Schwierige wird sein, da hineinzukommen, ohne sie aufzuschrecken«, fuhr Silver fort. »Ich möchte nicht, dass irgendjemand verletzt wird.«

»Was werden wir also machen?«, fragte ich.

»Ich dachte mir, ich werde warten, bis sie alle schlafen, mich dann reinschleichen und ihn losschneiden. Ich wüsste nicht, was ich sonst tun sollte.«

»Lassen Sie mich reingehen«, sagte ich.

»Ich glaube nicht...«

»Ich schaffe das!« Ich erzählte Silver davon, wie ich in Kenia gelernt hatte, mich anzupirschen.

Er hörte geduldig zu. »Das ist ja eine tolle Geschichte, aber –«

»Wenn Sie erwischt werden, sind wir tot. Sie sind der Einzige, der uns hier rausholen kann. Ich schaffe das, Silver.«

Er gab sich geschlagen. »Ich hoffe nur, du hast Recht.«

Wir warteten und beobachteten das Lager weiter. Silver meinte, es wären nur ungefähr zwanzig Leute.

»Vier oder fünf davon sind kleine Kinder und außerdem gibt es zwei Säuglinge. Vielleicht waren sie früher einmal wesentlich zahlreicher. Sie könnten die wenigen Überlebenden der verlorenen Stadt sein, die auch hier irgendwo in der Gegend sein muss, oder sie sind einfach nur ein Stamm, der eines Tages in die Gegend gezogen und hier geblieben ist.«

Ich war versucht, ihm von den Ruinen im See zu erzählen, aber ich hielt mich zurück.

»Dann war Fawcett also hier?«

»Du hast den Kompass gesehen?«

Ich nickte.

»Hier war er schon. Entweder er hat in den Briefen an seine Frau gelogen, dass er in Mato Grosso sei, oder er kam erst nach seinem vermeintlichen Verschwinden hierher. Ich weiß nicht, ob er, sein Sohn und der Freund hier getötet wurden oder ob sie beschlossen haben, hier zu bleiben. Er hat die Minen gefunden und vielleicht reichte ihm das.«

Ich erzählte ihm von der Brille.

»Auf den Fotos von Fawcett, die ich kenne, trägt er nie eine Brille. Vielleicht gehörte sie seinem Sohn oder dessen Freund.«

Nachdem es dunkel geworden war, wurde es schwierig, Einzelheiten im Dorf zu erkennen. Uns blieb nichts anderes übrig, als uns auf Bewegungen zu konzentrieren. Wir warteten weiter ab. Ich dachte an Doc und fragte mich, wie es ihm wohl ginge. Ich hätte beinahe alles gegeben, um jetzt durch den Tunnel zu fahren, aber wir konnten Raul nicht im Stich lassen und außerdem mussten wir noch etwas wegen Tyler unternehmen. Wenn wir das hier überleben sollten, könnte ich einen Lagebericht ans Heim schicken, der sich gewaschen hätte.

»Bist du soweit?«, flüsterte Silver.

Ich nickte und begann mich auszuziehen.

»Was soll das?«

»So mache ich das eben.« Ich zog mich ganz aus und fing an mich am ganzen Körper mit Dreck einzureiben.

»Was ist, wenn du auf eine Schlange trittst?«

»Das wird nicht passieren.«

Er gab mir sein Messer und ich machte mich in Richtung Lager auf. Als ich am offenen Ende des Hufeisens angekommen war, wurde ich wesentlich langsamer. Ich hörte Leute schnarchen. Ein Kind hustete und ich verharrte reglos mitten im Schritt. Meine größte Sorge war, dass Raul aufschreien würde, wenn ich ihn erreicht hatte. Aber für diesen Fall hatte ich einen Plan und ich hoffte nur, dass der auch funktionieren würde.

Raul war vornübergebeugt und schlief. Seine Stirn ruhte an dem Pfahl. Als ich bei ihm war, streckte ich sehr, sehr langsam die Hand nach seinem Kopf aus, dann drückte ich sie fest auf seinen Mund. Mit einem Ruck wachte er auf und gab ein gedämpftes Geräusch von sich, von dem ich sicher war, dass sie es hörten. Als Raul mich erkannte, entspannte er sich. In mehreren Hängematten regte sich etwas und ich hielt den Atem an. Ungefähr fünf Minuten lang saß ich absolut regungslos da. Als feststand, dass niemand aufstehen würde, schnitt ich leise die Lianen an Rauls Füßen und Handgelenken durch. Er folgte mir Schritt für Schritt aus dem Lager heraus.

»Beeindruckend«, sagte Silver, als wir zurückkamen.

Ich zog mich wieder an, während er und Raul auf Portugiesisch miteinander flüsterten.

»Wir haben ein Problem«, erklärte Silver. »Wie es scheint, haben unsere Freunde da drüben das Halsband von eurem Jaguarweibchen.«

»Wie sind sie denn daran gekommen?«

»Dein Vater und Raul sind über eine Jaguargrube gestolpert, als sie da draußen herumgestöbert haben. Offenbar hat der Stamm ihr die Falle gestellt und sie ist auch prompt hineingelaufen. Sie ist tot.«

Im Delirium hatte Doc den Namen des Jaguars gerufen, nicht den meiner Mutter!

»Sie waren auf dem Rückweg, als dein Vater zusammenbrach. Raul hat ihn im Wald zurückgelassen und wollte zurück ins Lager, um Hilfe zu holen, als der Stamm ihn schnappte. Sie schleppten ihn zum Dorf und er hat es nicht geschafft, ihnen klarzumachen, dass dein Vater Hilfe braucht. Raul hat angenommen, dass Doc im Urwald gestorben ist. Es ist ein Wunder, dass er es zurück ins Lager geschafft hat.«

»Dann ist Tyler also auf direktem Weg ins Dorf?«

»Genau«, sagte Silver. »Ich denke, wir haben noch die besten Chancen, wenn wir losziehen und ihn abfangen, bevor er hier ist. Zumindest wissen wir, wohin er geht. Dummerweise wissen wir aber nicht, woher er kommt.«

Ich dachte einen Moment lang darüber nach. »Das heißt also, nicht allzu weit von hier gibt es eine Grube?«

»Schon«, sagte Silver. »Aber was hat das mit unserem Problem zu tun?«

»Weiß Raul, wo das Halsband ist?«

Silver fragte ihn. »Er sagt, es hängt an einem der Querbalken auf der rechten Seite des Lagers. Was hast du denn eigentlich vor?«

»Erst muss ich versuchen das Halsband zu bekommen.«

Silver und Raul sprachen noch einmal kurz miteinander.

»Raul sagt, sein Beutel hängt neben dem Halsband. Er hätte ihn gern wieder, wenn du das einrichten kannst.«

»Ich werde sehen, was sich machen lässt.«

Dann zog ich mich wieder aus.

24

Es war kein Problem, das Halsband zu holen. Es hing genau dort, wo Raul gesagt hatte, neben dem abgezogenen, zum Trocknen aufgehängten Fell von Beth und Rauls Baumwollbeutel. Ich hoffte, Wild Bill und Taw würde es in dem neuen Reservat besser ergehen als ihrer Mutter. Als wir an der Jaguargrube ankamen, war es immer noch dunkel, also ruhten wir uns bis zum Tagesanbruch aus. Die Grube war ungefähr drei Quadratmeter groß. In den Boden waren angespitzte Äste gerammt. Ich ließ mich an einem Seil hinab und nahm die Äste heraus, die zusammen mit Zweigen und Blättern bei Beths Sturz hineingefallen waren. Als ich wieder nach oben kletterte, wollte Raul wissen, wie viel Tyler wog und wie viel Ausrüstung er bei sich trug. Ich schätzte, so gut ich konnte.

Wir machten uns an die Arbeit. Raul baute immer wieder alles ab, was wir aufbauten. Schließlich hielten Silver und ich uns zurück und ließen Raul alles allein machen. Er arbeitete schnell, aber es dauerte trotzdem länger, als Silver lieb war.

Raul legte dickere Stöcke um den Rand der Grube und schwache Zweige in die Mitte. Ich nahm an, das sollte sicherstellen, dass das Tier, oder in diesem Fall der Irre, sich über der Mitte befand, wenn die Abdeckung einbrach.

Raul machte sich am Boden um die Grube herum noch ein letztes Mal zu schaffen und erklärte dann, sie sei jetzt bereit. Wir versteckten uns in etwa fünfzehn Metern Entfernung. Ungefähr zwanzig Minuten später tauchte Tyler auf. Er trug den Kopfhörer, den Empfänger hatte er sich an den Gürtel geschnallt. Die Antenne hielt er über den Kopf und schwenkte sie langsam vor und zurück bei dem Versuch festzustellen, woher das Signal kam. Das Halsband hing an einem Baum hinter der Grube. Auf diese Entfernung würde er die Quelle des Signals nicht lokalisieren können. Alles, was er wusste, war, dass er ihr sehr nahe sein musste.

Ohne zu zögern trat Tyler auf die Grubenabdeckung. Ich erwartete, dass sie nachgeben würde, aber das tat sie nicht. Er ging weiter und sie brach noch immer nicht ein. Raul machte ein seltsames Geräusch. Tyler blieb wie angewurzelt stehen, als er es hörte. Dann gab der Boden nach und er verschwand. Wir blieben in unserem Versteck. Silver wartete, bis der Staub sich gelegt hatte, bevor er etwas sagte.

»Tyler?«, rief er.

»Ich hätte es wissen müssen!«, schrie Tyler zur Antwort.

»Ich werde Ihnen ein Seil zuwerfen«, fuhr Silver fort. »Und dann klettern Sie ganz langsam daran heraus. Wenn Sie oben sind, werden Sie beide Hände am Seil behalten und daran weiterlaufen, bis ich sage, Sie sollen stehen bleiben. Wenn Sie auch nur eine Hand vom Seil nehmen, puste ich Sie zurück in das Loch. Verstanden?«

»Ja, Sir«, sagte Tyler.

Silver warf das Seil in die Grube. Das andere Ende war an einen Baum hinter unserem Versteck gebunden.

»Schön langsam.«

»Ich komme jetzt raus.« Tylers Kopf erschien über dem Rand.

»Einfach nur weiter das Seil entlang«, sagte Silver.

Als Tyler ein gutes Stück von der Grube entfernt war, befahl Silver ihm, stehen zu bleiben. Er sagte zu Raul etwas auf Portugiesisch. Dieser griff in seinen Beutel und holte ein Stück Schnur heraus.

»Eine Hand nach der anderen, Tyler. Sie kennen das ja.«

Tyler legte eine Hand auf den Rücken. Raul legte eine Schlinge darum und wartete auf Tylers andere Hand. Diese schoss wie der Blitz zurück und hatte Raul gepackt, bevor einer von uns wusste, was passiert war. Silver blieb nicht mehr die Zeit, einen Schuss abzugeben, bevor Raul und Tyler schon verknäuelt auf dem Boden lagen. Silver schoss in die Luft und Scarlet flog kreischend davon.

»Der Nächste geht durch Ihren Kopf, Tyler!«, schrie Silver.

Tyler ließ Raul los.

»Zweiter Versuch«, sagte Silver gelassen. »Auf den Bauch legen, Tyler, und dann nehmen Sie beide Hände auf den Rücken.«

Tyler rollte sich herum und legte die Hände auf den Rücken. Diesmal konnte Raul ihn problemlos fesseln. Als er damit fertig war, befahl Silver Tyler aufzustehen.

Während des Kampfes waren ein paar Sachen aus Rauls Beutel auf den Boden gefallen. Raul sammelte sie ein und steckte sie zurück.

»Also, Colonel«, sagte Tyler. »Wie es aussieht, haben Sie die Hauptader entdeckt.«

»Hier gibt es gar nichts«, entgegnete Silver.

Tyler lachte. »Bei allem Respekt, Sir, Sie sind ein verdammter Lügner!«

»Wie Sie meinen, Tyler. Gehen wir.«

Raul ging voran, dicht gefolgt von Tyler. Silver und ich kamen hinterher.

Auf dem gesamten Weg zurück ins Lager sagte Tyler kein einziges Wort, ebenso wenig Silver. Als wir angekommen waren, rief ich nach Flanna, aber sie antwortete nicht. Ich schaute in ihr Zelt. Es war leer. Die Flinte lehnte immer noch draußen neben dem Eingang.

»Wahrscheinlich hat sie Doc genommen und sich ein Versteck gesucht«, sagte ich und hoffte, sie wäre nicht losgezogen, um mich zu suchen.

»Wie ich sehe, hat sie die Flinte schon wieder nicht mitgenommen«, stellte Silver fest. »Das wird sie sich aber früher oder später angewöhnen müssen, sonst wird man ihr irgendwann noch wehtun.« Er sagte Raul etwas und der rannte los. »Er wird sie finden.«

Ich schaute zur anderen Seite des Lagers und sah Freds Leiche. Silver folgte meinem Blick und schüttelte den Kopf. »Als Erstes binden wir unseren Gefangenen mal schön fest«, bestimmte er. »Und dann werde ich seinen Freund begraben. Dann werden wir packen und hier –«

Tyler schlang den Arm um meinen Hals und hob mich in

die Luft. Mit seiner freien Hand drückte er mir ein kleines Taschenmesser direkt unter das Auge. Es war das Messer, das ich Raul geschenkt hatte. Es musste Raul während des Handgemenges aus dem Beutel gefallen sein und Tyler hatte es aufgehoben.

Silver sah zu Tode erschrocken aus und mir ging es wohl nicht viel anders.

»Lassen Sie ihn los, Tyler.«

»Nein, Sir. Und Sie werden nicht auf mich schießen, weil Sie sonst auch den Jungen töten würden. Tja, es gab Zeiten, da hätte Ihnen das nicht viel ausgemacht, aber ich vermute, Sie sind ein wenig weich geworden mit den Jahren.«

Silver starrte ihn einfach nur an.

»Colonel, wenn Sie die Waffe nicht fallen lassen, werde ich ihm sein Genick brechen wie ein dürres Zweiglein. Sie wissen, dass ich das kann, Sie haben es mir schließlich beigebracht.«

Ich sah die Resignation in Silvers Blick. Er legte die Flinte zu Boden.

»Und jetzt treten Sie zurück, Colonel.«

Silver machte ein paar Schritte rückwärts. Tyler trat vor, ohne den Griff um meinen Hals zu lockern. Ich konnte nicht mehr atmen. Mit einer einzigen Bewegung schleuderte er mich beiseite, packte sich die Flinte vom Boden und richtete sie auf Silvers Brust.

Ich warf einen kurzen Blick auf die Flinte am Zelt.

»Denk nicht einmal daran, mein Sohn«, sagte Tyler. »Also, schwing dich da rüber, neben den Colonel.« Ich stand auf und ging zu Silver. »Ich schätze, das war's dann, Colonel…«

Silver sah mich an. »Es tut mir Leid, Jake.«

Ich hörte ein hartes *Tack* und Tyler ließ das Gewehr fallen. Er stolperte, dann kippte er nach hinten um und ein Pfeil steckte in seiner Brust.

Flanna trat auf der gegenüberliegenden Seite des Lagers hinter einem Baum hervor und hatte bereits einen weiteren Pfeil in ihren zerlegbaren Bogen gespannt.

»Nicht zu fassen«, sagte Silver.

Flanna kam zu uns herüber. »Ist mit dir alles in Ordnung, Jake?«

Ich schaffte es zu sagen, dass es mir gut ging. »Woher wusstest du –«

»Ich hörte, wie die Flinte abgefeuert wurde. Gleich darauf kam Scarlet kreischend ins Lager geflogen. Ich ging davon aus, dass Silver nicht allzu weit hinter ihr sein würde, also habe ich mich hinter einem Baum versteckt.«

»Mit Pfeil und Bogen?«, fragte Silver.

»Ich wusste nicht, auf wessen Seite Sie stehen«, erklärte sie.

»Auf eurer«, sagte er. Er ging zu Tyler und hob das Gewehr auf.

»Ist er tot?«, fragte Flanna.

Silver suchte nach dem Puls. »Ich fürchte, ja.«

Flanna ließ den Bogen fallen und fing an zu weinen. Silver gab mir die Flinte, dann ging er zu ihr und umarmte sie, bis sie sich wieder beruhigt hatte.

»Wie geht es Doc?«, fragte ich.

»Ich glaube, er wird wieder, wenn wir ihn dazu bringen, ein paar Tage ruhig liegen zu bleiben«, meinte Flanna. »Ich habe es irgendwie geschafft, ihn nach oben in die Bäume zu bringen und auf eine der Beobachtungsstationen zu legen, damit er in Sicherheit wäre für den Fall, dass Tyler zurückkäme. Als ich ihn verließ, schrie er mich an, ich solle ihm ein Seil geben und ihn runterlassen, also denke ich, es geht ihm schon viel besser.«

Sie fuhr fort zu berichten, dass Doc in der vorigen Nacht das Bewusstsein wieder erlangt hatte. Er hatte ihr erzählt, er habe geträumt, Beth sei in der Grube getötet worden.

»Ich wusste also, dass Tyler genau auf euch zusteuert. Ich war gerade drauf und dran loszuziehen, um euch zu suchen, als ich die Flinte hörte.«

Silver sah sie an. »Ich nehme an, jetzt stehe ich ein ganzes Leben lang in Ihrer Schuld, oder so«, sagte er.

Flanna lächelte. »Und zwar nicht zu knapp.«

»Es gibt schlimmere Schicksale, junge Dame.«

Wir gingen alle zu dem Baum, auf dem Doc gefangen gehalten wurde.

»Bei uns ist alles in Ordnung«, schrie ich zu ihm hinauf.

»Schön, das zu hören«, brüllte er zurück. »Bring mir ein Seil, dann komm ich runter.«

Ich schaute Flanna an. Sie schüttelte den Kopf.

»Tut mir Leid, Doc. Aber wir haben hier unten ganz schön zu tun. Ruh dich einfach noch ein bisschen aus, wir holen dich dann runter, sobald es geht.«

»Ich verspreche, dass ich mich ausruhen werde. Holt mich einfach nur hier runter. Jake …? Jake …? Bist du noch da? Flanna?«

Wir gingen ins Lager zurück.

Wir beerdigten Fred Stoats und Tyler im selben Grab. Tyler wäre darüber nicht glücklich gewesen, aber meiner Ansicht nach hatten sie es verdient, die Ewigkeit miteinander zu verbringen.

Wir brauchten den restlichen Tag und die halbe Nacht, um unsere Sachen zu packen und alles auf die *Tito* zu schaffen. Am nächsten Morgen waren wir bereit zur Abreise. Flanna ging los, um Doc zu holen und die letzte Beobachtungsstation aufzulösen. Ich ging zum See hinunter und traf am Ufer Silver, der vor einem großen Haufen von Karten und alten Notizheften stand.

»Was machen Sie da?«, fragte ich.

»Die Spuren vernichten.« Er zündete ein Streichholz an und ließ es auf den Haufen fallen. Einen Moment lang betrachtete er die Flammen, dann griff er in die Tasche und holte den goldenen Jaguar heraus. »Ich glaube, das ist deiner.«

Ich griff in die eigene Tasche und gab ihm den zweiten goldenen Jaguar.

»Noch ein Geschenk?«, fragte er.

Ich schüttelte den Kopf und erzählte ihm von den Ruinen im See.

»Warum behalten Sie diese Jaguare nicht einfach?«, sagte ich. »Sie haben schließlich verdammt lange danach gesucht.«

Silver betrachtete die Statuetten. »Wenn ich sie behalte, werden die Leute sich fragen, woher ich sie habe – und vielleicht kommen sie dann hierher, um zu suchen. Ich will nicht, dass das geschieht.«

Er lächelte und warf sie mitten in den See.

»Da gehören sie hin«, erklärte er.

Ich kletterte ein letztes Mal auf den Felsen am Wasserfall. Unter mir starrte Silver auf den brennenden Stapel. Er sah glücklich und entspannt aus, als habe er Frieden geschlossen mit sich und der Welt. Das erinnerte mich an den

Schnappschuss mit ihm und Tito. Er hatte zwar seinen Sohn nicht wieder gefunden, aber es sah aus, als habe er die gleiche Zufriedenheit zurückgewonnen, zumindest für den Augenblick.

Flanna brachte Doc zum Strand. Abgesehen davon dass er durch die Krankheit geschwächt und verärgert darüber war, dass er zwei Tage als Gefangener auf einem Baum hatte zubringen müssen, war er in guter Verfassung.

Raul brachte sie im Beiboot zur *Tito* hinüber, dann kam er zurück und holte Silver und mich nach.

Silver stieg in das Ruderhaus und ließ den Motor an. Wir hörten ein lautes Kreischen und Scarlet schwang sich aus dem Regenwald zu uns herüber. Der Landgang war beendet.

25

Unser neues Lager war nicht annähernd so schön wie das Lager am See, dafür war es aber wesentlich friedlicher. Flanna baute sich ein neues Netz im Blätterdach, während wir Übrigen Doc dabei halfen, Jaguare einzufangen.

In den nächsten sechs Wochen konnten wir zwei Weibchen fangen und mit Halsbändern versehen. Eins von ihnen nannten wir Beth.

Die Ortungen waren jetzt wesentlich schwieriger und zeitraubender, weil sie vom Boden aus vorgenommen werden mussten. Silver und ich kümmerten uns um diese Seite des Projekts, während Raul und Doc eine Säugetierzählung vornahmen, um festzustellen, welche Tiere hier im Wald lebten.

Als wir eines Abends beim Essen saßen, landete ein kleines Flugzeug auf dem Fluss und manövrierte dann zu Silvers Boot hinüber. Wir gingen alle hinunter zum Wasser, um zu sehen, wer das sein könnte.

Der Erste, der aus dem Flugzeug stieg, trug einen weißen Anzug und einen weißen Panamahut auf dem Kopf. Er war ziemlich klein und pummelig und hatte einen weißen Schnurrbart, der sich an den Enden aufwärts zwirbelte.

»Der sieht aus wie Mr. Monopoly persönlich«, sagte ich.

Doc musste lachen. »Irgendwie ist er das auch wirklich.«

Der Mann kam zu uns herüber.

»Jake, darf ich vorstellen? Mr. Woolcott.«

Zwei weitere Männer stiegen aus dem Flugzeug; sie trugen klassische Geschäftsanzüge, was nicht unbedingt die geeignetste Kleidung für die Tropen ist. Sie wirkten, als fühlten sie sich sehr unwohl. Als Letzter stieg der Pilot aus – Buzz Lindbergh. Er schien sich in seinen kurzen Hosen und dem violetten Pullunder dagegen ausgezeichnet zu fühlen. Er humpelte zu uns und umarmte jeden Einzelnen.

»Wie geht's dem Fuß?«, fragte Doc.

»Ich komme mir immer noch ein bisschen wie ein Einbeiniger vor, aber ich werde es wohl überleben! Wie geht es dem Morpho?« Diese Frage war an mich gerichtet.

»Darüber reden wir später«, sagte Doc leise. »Gehen wir lieber rauf und bringen Woolcott erst mal auf den Stand der Dinge.«

Den ganzen Abend gingen Doc und Flanna die Daten

durch, die sie von Fauna und Flora des Reservats gesammelt hatten. Am nächsten Morgen brachten wir Antennen am Flugzeug an. Buzz und Doc machten mit Woolcott einen Besichtigungsflug über das ganze Reservat, auf dem sie die Jaguare orteten. Als sie zurückkamen, sagte Doc, er hätte die Signale von Wild Bill und von Taw aufgefangen. Offenbar ging es ihnen bestens.

»Wir müssen morgen schon sehr früh abreisen«, sagte Woolcott. »Ich möchte vorher noch ein Treffen mit allen Beteiligten abhalten.«

An diesem Abend versammelten wir uns alle im Lager.

»Ich werde es kurz machen«, erklärte Woolcott. »Mir gefällt, was Sie erreicht haben, und ich möchte dieses Reservat finanzieren. Ich werde eine Stiftung gründen. Auf die Art werden wir es noch lebendig halten können, wenn wir selbst schon alle tot und begraben sind.«

Wir waren alle begeistert. Bills Traum war in Erfüllung gegangen.

»Nun nehme ich doch an«, fuhr Woolcott fort, »dass Sie hier bleiben und die Leitung übernehmen werden, Dr. Lansa.«

»Das weiß ich nicht«, sagte Doc. Er sah mich und Flanna an. »Ich hatte vor, nach Poughkeepsie zurückzugehen.«

»Darüber müssen wir erst noch einmal reden«, sagte Flanna.

Danach

Der Aufenthaltsraum war voll. Ich hielt die Pressekonferenz nach dem Abendessen ab, weil ich wusste, dass es eine Weile dauern würde, bis ich den Insassen alles erzählt hatte. Na ja, nicht alles. Ein paar Einzelheiten musste ich weglassen, zum Beispiel die tatsächliche Entdeckung der verlorenen Minen von Muribeca. Wenn ich ihnen davon erzählt hätte, hätten womöglich einige der Insassen das Heim verlassen und sich noch am selben Abend auf den Weg nach Brasilien gemacht.

Als ich mit meinem Bericht fertig war, gab es eine Menge Fragen. Ich wusste, dass im Lauf der kommenden Wochen noch unzählige weitere dazukommen würden.

»Was wirst du denn jetzt machen, Jake?«, fragte Mr. Blondell.

»Ich muss noch ein paar Wochen zur Schule, dann werden Taw und ich auf eine kleine Reise gehen.«

»Was ist jetzt mit dem Reservat?«, fragte Mr. Clausen. »Wirst du dorthin zurückgehen?«

»Ach, ich bin sicher, dass ich irgendwann einmal wieder hinkommen werde«, sagte ich.

»Und wird dein Vater die kleine Flanna heiraten?«, wollte Mrs. Mapes wissen.

»Ich weiß es nicht. Eines Tages vielleicht.«

»Es wird langsam spät«, sagte Peter. »Jake ist heute Morgen erst zurückgekommen. Er braucht Ruhe.«

Taw und ich fuhren mit dem Aufzug in den ersten Stock. Ich begleitete ihn zu seinem Zimmer.

»Ich bin froh, dass du wieder da bist«, sagte er.

»Das bin ich auch, Taw.«

»Arizona wird dir gefallen. Es ist wunderschön.«

»Ich freue mich schon darauf.«

Ich ging zurück auf mein Zimmer, schaute den Jaguarzahn an, den Raul mir geschenkt hatte, und dachte an den letzten Abend im Reservat.

Flanna hatte meinen Vater dazu überredet, dort zu bleiben und das Reservat zu leiten. Doc sagte, er würde sich wünschen, dass ich bei ihm bliebe und dass er sich um Fernkurse für mich kümmern würde.

Er war erstaunt, als ich ihm am nächsten Morgen sagte, dass ich mit Buzz und Woolcott zurück nach Manaus fliegen und von da den ersten Flug zurück in die Staaten nehmen wolle.

»Ich dachte, wir hätten das gestern Abend alles schon geklärt? Du wirst mit uns zusammen hier bleiben.«

»Ich muss bloß für eine kleine Weile zurück«, sagte ich. »Taw will mit mir nach Arizona fahren.«

Ich verabschiedete mich von Silver, Raul und Flanna. Doc begleitete mich zum Flugzeug.

»Und wie lange wirst du fortbleiben?«

»Ich bin nur einen Monat lang fort«, antwortete ich. »Ein kleines bisschen länger vielleicht ...«